GW00658341

German Revision
Higher Level

Bernadette Matthews

Gill & Macmillan

Gill & Macmillan

Hume Avenue

Park West

Dublin 12

with associated companies throughout the world

www.gillmacmillan.ie

© Bernadette Matthews 2011

978 07171 4708 3

Design by Liz White Designs
Artwork by Derry Dillon
Print origination by Carrigboy Typesetting Services

The paper used in this book is made from the wood pulp of managed forests. For every tree felled, at least one tree is planted, thereby renewing natural resources.

For permission to reproduce photographs, the author and publisher gratefully acknowledge the following:

© Alamy: 1, 9, 10, 11, 12, 15, 21, 23, 25, 27, 36, 45, 125, 137, 143, 163, 173, 197, 165B, 165T; © Getty Images: 3, 18, 40, 188, 190, 191, 201; © Rex Features: 5, 169.

The authors and publisher have made every effort to trace all copyright holders, but if any has been inadvertently overlooked we would be pleased to make the necessary arrangement at the first opportunity.

CONTENTS

Introduction

This revision book aims to help you feel more confident when facing the Leaving Certificate Higher Level German examination.

The book is divided into six sections, dealing with the areas examined in the Leaving Certificate, i.e. **Oral Competence**, **Reading Comprehension**, **Grammar**, **Written Comment**, **Written Production** and **Listening Comprehension**.

There are:

- guided answers to comprehension questions
- sample questions with solutions
- sample answers to written tasks
- a sample listening comprehension test with solutions
- suggestions about relevant vocabulary for all sections
- grammar exercises and tips
- useful tips on timing and mark allocation

VIEL ERFOLG!

Exam layout

The German Leaving Certificate Higher Level examination has four main components, with the following mark allocation.

Marks

1   The **Oral Examination** is worth **100 marks** (25% of the total marks).

2   The **Reading Comprehension** section of the exam is worth **120 marks** (30% of the total marks).

3   The **Written tasks** (including 'Schriftliche Produktion', 'Angewandte Grammatik' and 'Äußerung zum Thema') represent **100 marks** (25% of the total marks).

4   The **Listening Comprehension** is worth **80 marks** (20% of the total marks).

Breakdown of the four main components

1   Oral Examination (*Mündliche Prüfung*)
The Oral is the first part of the exam and tests your proficiency in the spoken language. It lasts approximately **15 minutes**. It has three sections: **general conversation, picture sequence *or* project, and role-play.**

2   Reading Comprehension (*Leseverständnis*)
There are **two** reading comprehension texts on your written paper. The first text is an extract from a **literary source** such as a short story or a novel. The second text is **journalistic** in nature, i.e. written in the style of a newspaper or magazine article. Comprehension questions are asked in both German and English and these are clearly indicated on the paper.

3   Written Production (*Schriftliche Produktion*)
There are three written tasks on your paper: **'Angewandte Grammatik', 'Äußerung zum Thema', and 'Schriftliche Produktion'**. The 'Angewandte Grammatik' tests your ability to recognise and apply grammatical structures and is based on the language of one of the comprehension texts. In the 'Äußerung zum Thema' you are asked to comment on the theme arising out of the other comprehension text and you are given a choice between two tasks. The 'Schriftliche Produktion' is a longer written task where you are asked to write either a letter or on a topic which may be a response to a visual stimulus.

The written paper, which consists of both **Reading Comprehension** and **Written Production**, lasts **two and a half hours**.

4 **Listening Comprehension (Aural)**
The Listening Comprehension tests your ability to understand spoken German. It lasts about **40 minutes** and takes place straight after the written paper. There are four parts in this test: **interview, telephone message, dialogue** and **news bulletin** (including weather report).

- To improve your proficiency in the spoken language.
- To help you to be fully prepared for all three sections of the oral examination.
- To teach a wide range of vocabulary that will be useful in all sections of the examination.

The **Oral Examination** is worth 100 marks (25% of the total).

This part of the exam tests your skills in the spoken language. The Oral Examination lasts about **15 minutes** and is recorded. Before the examination all the candidates will attend a brief meeting with the examiner, who will outline the format and procedures of the examination. There are **three sections**:

- General conversation (40 marks)
- Picture sequence *or* project (30 marks)
- Role-play (30 marks)

At the beginning of the examination you will be asked **in German** to give your **name** and your **examination number**, both of which will be recorded on tape. You will then be asked to **sign** the attendance sheet.

- Wie heißen Sie?
- Wie ist Ihre Prüfungsnummer?
- Bitte unterschreiben Sie hier!

For the general conversation you will find a range of sample questions and suggested answers. **The topics covered are those occurring most frequently in this section of the Oral.** There are also examples of how to discuss a literary text or a film, should you wish to avail of either of these options.

Advice and tips are given as to how best to prepare for the picture sequence/project and role-play. There is **one example each of a picture sequence and a role-play**, illustrating the examination procedure with sample questions and answers. **Of the project there is one example**, likewise illustrating the examination technique and presenting ideas and suggested answers on a given topic. Obviously, the best way to prepare for the Oral Examination is to hear and speak lots of German through:

- contact with native speakers
- German radio (e.g. 'Deutsche Welle', access via Internet www.dw-world.de)
- German television (if you have access to German TV channels, e.g. 'ARD' and 'ZDF')
- tapes/CDs
- films
- German class

REMEMBER:

1 **Speak as much German as possible** in class.

2 Good preparation is essential. Be familiar with the more **frequently occurring topics** of the general conversation (e.g. family, hobbies, career plans, school, your study of the German language) and have **sentences prepared.**

3 **Be able to talk about things in the past** (e.g. what you did last weekend, last summer). **Practise the perfect tense.**

4 **Keep the storytelling or project presentation simple and concise** and take the time to **prepare exactly** what you are going to say.

5 Have some **ideas prepared** for the follow-up questions in the picture sequence/project area. Be familiar with the topics and anticipate possible questions.

6 **Read each task and sub-task of your role-play cards carefully** and several times before your examination. Know exactly what you have to do and cover each task **equally.**

7 The role-play should develop as a natural dialogue. It is important to **listen** to what the examiner has to say and respond appropriately.

8 **Prepare all five picture sequences and role-plays equally.** Under no circumstances may you pick up another card if you get the one you don't like!

9 **Don't speak too fast** during your examination. Good diction and pronunciation will help the examiner to assess your competence in the spoken language.

10 View each question as an invitation to speak. Short monosyllabic answers won't give the examiner much to go on. **Avoid 'Ja/Nein' answers and try to answer in complete sentences.**

VIEL ERFOLG!

Section one: General conversation

This section of the Oral is worth **40 marks** and is a general conversation with the examiner **about yourself, your family, your school life, career plans, hobbies**, etc. You will have covered many of the topics gradually throughout your years of learning German and the conversation should be a natural dialogue in which you display the oral proficiency you have gained throughout those years. Good preparation for this section will be rewarded.

The following pages will give you a variety of **sample questions and answers** on the most frequently covered topics. The general conversation **lasts approximately 4 to 5 minutes**. Some topics may be pursued more than others, depending on your individual experience and on the natural flow of the conversation.

During the course of the conversation you will be asked if you would like to **discuss a German literary work** (a poem, a story, a novel) that you have read or a **German film** that you have seen.

To show you how to talk about a chosen work, you will find one example of a literary text (a poem) and two examples of a film at the end of this section. **This is an option which you may or may not wish to avail of.**

List of topics

Vocabulary under topic headings

Sample questions and answers under topic headings

Details zur Person

The conversation generally starts with a few simple questions about yourself and your family.

Wie alt sind Sie?	*How old are you?*
Wann haben Sie Geburtstag?	*When is your birthday?*

Ich bin siebzehn Jahre alt.   *I am seventeen years old.*
Ich werde bald achtzehn sein.   *I will soon be eighteen.*
Ich habe am fünfzehnten Mai Geburtstag.   *My birthday is on 15 May.*

Erzählen Sie mir etwas über Ihre Familie!	*Tell me something about your family.*
Haben Sie Geschwister?	*Have you brothers and sisters?*

Ich habe einen Bruder/eine Schwester/   *I have a brother/sister/two brothers/*
   zwei Brüder/drei Schwestern.   *three sisters.*
Ich habe eine Zwillingsschwester/   *I have a twin sister/twin brother.*
   einen Zwillingsbruder.
Ich bin Einzelkind.   *I am an only child.*

Mein Vater arbeitet in einer Bank.   *My father works in a bank.*
Meine Mutter ist Krankenschwester.   *My mother is a nurse.*
Ich habe ein sehr gutes Verhältnis zu   *I have a very good relationship with my*
   meinen Eltern.   *parents.*

Sind Sie der/die Älteste/Jüngste in der Familie?	*Are you the oldest/youngest in the family?*
Wie finden Sie das?	*What is that like?*

Ich bin der/die Älteste/Jüngste in der Familie.	*I am the oldest/youngest in the family.*
Das finde ich prima/nicht schlecht.	*I find that great/not bad.*
Ich muss manchmal auf meine kleine Schwester/meinen kleinen Bruder aufpassen.	*I sometimes have to look after my little sister/brother.*
Ich bin ein bisschen verwöhnt!	*I'm a bit spoiled!*

Kommen Sie mit Ihren Geschwistern gut aus?	*Do you get on well with your brothers and sisters?*
Was machen Ihre Geschwister?	*What do your brothers and sisters do?*

Ich komme gut mit meiner Schwester/ meinem Bruder aus.	*I get on well with my sister/ brother.*
Wir verstehen uns gut.	*We get on well together.*
Wir streiten uns manchmal/selten.	*We sometimes/seldom quarrel.*

Mein Bruder studiert an der Universität in Dublin.	*My brother studies at Dublin University.*
Meine Schwester ist Grundschullehrerin.	*My sister is a primary school teacher.*
Meine andere Schwester ist arbeitslos.	*My other sister is unemployed.*
Mein jüngerer Bruder ist zehn Jahre alt.	*My younger brother is ten years old.*
Er geht noch auf die Grundschule.	*He is still attending primary school.*

Wohnort

Wo wohnen Sie?	*Where do you live?*
Wohnen Sie auf dem Land oder in der Stadt?	*Do you live in the country or in the town?*
Wie kommen Sie zur Schule?	*How do you get to school?*

Ich wohne auf dem Land.	*I live in the country.*
in einem Dorf	*in a village*
in der Stadt	*in the town*
in einem Vorort	*in a suburb*
etwa 5 Kilometer von der Schule entfernt	*about 5 kilometres from the school*
Ich fahre jeden Tag mit dem Bus zur Schule.	*I go to school by bus every day.*
Das dauert ungefähr zwanzig Minuten.	*That takes about twenty minutes.*
Ich muss ziemlich früh aufstehen.	*I have to get up quite early.*
Ich stehe um halb acht auf.	*I get up at half past seven.*
Ich fahre mit meiner Mutter im Auto.	*I go with my mother in the car.*
Ich gehe zu Fuß.	*I walk.*
Ich wohne ganz in der Nähe der Schule.	*I live very near the school.*

key point

NOTE:
Ich **gehe** zu Fuß. Ich **fahre** mit dem Bus/Auto.

Erzählen Sie mir ein bisschen über Ihre Stadt/Gegend!

Tell me a little about your town/area.

Welche Sehenswürdigkeiten gibt es?

What are the tourist attractions?

Unsere Stadt ist sehr schön.

Our town is very beautiful.

Es gibt hier viel für junge Leute.

There is lots here for young people.

Wir haben ein Kino, eine Kegelbahn und viele Geschäfte.

We have a cinema, a bowling alley and a lot of shops.

Man kann hier gut einkaufen.

It is good for shopping.

Das Dorf ist sehr klein.

The village is very small.

Es ist manchmal ein bisschen langweilig.

It is sometimes a bit boring.

Ich fahre oft am Wochenende in die Stadt.

I often go to town at the weekend.

Ich treffe meine Freunde im Einkaufszentrum.

I meet my friends in the shopping centre.

Es gibt ein Schloss, einen Dom und ein Museum.

There is a castle, a cathedral and a museum.

Die Landschaft ist schön/herrlich.

The countryside is beautiful/magnificent.

Man kann angeln/wandern.

You can go fishing/hill-walking.

Schule

Beschreiben Sie Ihre Schule!	*Describe your school.*
Wie viele Schüler/ Lehrer hat sie?	*How many pupils/ teachers are there?*
Sind Jungen und Mädchen an der Schule?	*Are there boys and girls at the school?*

Unsere Schule ist groß/ modern/alt. — *Our school is big/ modern/old.*

Sie hat eine tolle/neue Turnhalle und gute Sportmöglichkeiten. — *It has a great/new gym and good sports facilities.*

Man kann Fußball/ Basketball/Tennis spielen. — *You can play football/ basketball/tennis.*

Die Schule hat eine gute Fußballmannschaft. — *The school has a good football team.*

Wir haben aber dieses Jahr nichts gewonnen. — *But we did not win anything this year.*

Wir haben ungefähr 700 Schüler – Jungen und Mädchen – und etwa 40 Lehrer. — *We have about 700 pupils – boys and girls – and about 40 teachers.*

Unsere Schule ist eine reine Mädchenschule/ Jungenschule. — *Our school is an all girls/boys school.*

Das stört mich nicht. — *That doesn't bother me.*

Ich würde lieber auf eine gemischte Schule gehen. — *I would prefer to go to a mixed school.*

Beschreiben Sie Ihre Uniform!	*Describe your uniform.*
Wie finden Sie die Uniform?	*What do you think of the uniform?*

Ich trage einen grünen Rock/Pullover/Schlips. — *I wear a green skirt/jumper/tie.*

Ich trage ein weißes Hemd, grüne Strumpfhosen und schwarze Schuhe. — *I wear a white shirt, green tights and black shoes.*

Ich trage eine graue Hose, einen blauen Pulli, ein graues Hemd, schwarze Socken und schwarze Schuhe. — *I wear grey trousers, a blue jumper, a grey shirt, black socks and black shoes.*

Ich finde die Uniform hässlich/altmodisch/ praktisch. — *I think the uniform is horrible/ old-fashioned/practical.*

Wie viele Fächer haben Sie?	*How many subjects do you have?*
Welche Fächer haben Sie?	*What subjects do you have?*

Ich habe sieben Fächer: Irisch, Englisch, Deutsch, Mathe, Chemie, Erdkunde und Musik.

I have seven subjects: Irish, English, German, Maths, Chemistry, Geography and Music.

Was ist Ihr Lieblingsfach? Warum?	*What is your favourite subject? Why?*
Welches Fach haben Sie nicht gern?	*What subject don't you like?*
Warum nicht?	*Why not?*

Mein Lieblingsfach ist Englisch.
Ich finde es leicht und interessant.
Ich mag auch Erdkunde. Ich bekomme gute Noten in diesem Fach.
Ich mag Chemie nicht. Ich finde es zu schwierig.

My favourite subject is English.
I find it easy and interesting.
I also like Geography. I get good marks in this subject.
I don't like Chemistry. I find it too difficult.

The word **'seit'** is used to say 'for how long' or 'since when' something is going on.

Questions about your study of German are frequently asked. Be prepared for the following questions.

Wie lange lernen Sie schon Deutsch?	*How long have you been learning German?*
Wie finden Sie Deutsch?	*How do you find German?*
Was machen Sie im Deutschunterricht?	*What do you do in German class?*

Ich lerne seit fünf Jahren Deutsch.
Ich mag Deutsch, aber ich finde die Grammatik sehr schwierig/kompliziert.
Die Aussprache ist leicht.
Ich spreche gern Deutsch.
Ich finde das Hörverständnis ziemlich leicht.
In der Deutschstunde lesen wir deutsche Texte und hören deutsche Kassetten und CDs.
Wir sprechen auch viel Deutsch.

I've been learning German for five years.
I like German but I find the grammar very difficult/complicated.
The pronunciation is easy.
I like speaking German.
I find the listening comprehension quite easy.
In German class we read German texts and listen to German tapes and CDs.

We also speak a lot of German.

Lernen Sie noch eine andere Fremdsprache?	*Are you learning another foreign language?*
Warum sind Fremdsprachen wichtig?	*Why are foreign languages important?*

Ja, ich lerne auch Französisch.	*Yes, I also do French.*
Ich finde es leichter/schwieriger als Deutsch.	*I find it easier/more difficult than German.*
Nein, ich lerne nur Deutsch.	*No, I only do German.*
Ich brauche eine Fremdsprache für die Universität.	*I need a foreign language for university.*
Fremdsprachen sind wichtig, wenn man in Europa reisen oder arbeiten will.	*Foreign languages are important if you want to travel or work in Europe.*

Müssen Sie dieses Jahr viele Hausaufgaben machen?	*Do you have to do a lot of homework this year?*

Ich mache jeden Abend drei Stunden Hausaufgaben.	*I do three hours' homework every evening.*
Ich muss am Wochenende auch viel lernen.	*I also have to study a lot at the weekend.*
Wir schreiben regelmäßig Klassenarbeiten.	*We have regular class tests.*
Ich habe dieses Jahr sehr wenig Freizeit.	*I have very little free time this year.*

Welche Schulregeln gibt es hier?	*What are the school rules here?*

Wir müssen pünktlich zum Unterricht erscheinen.	*We must come to class on time.*
Wir dürfen keinen Schmuck tragen.	*We are not allowed to wear jewellery.*
Man darf kein Handy im Klassenzimmer benutzen.	*We are not allowed to use a mobile phone in the classroom.*
Rauchen ist verboten.	*Smoking is forbidden.*
Kaugummi ist nicht erlaubt.	*Chewing gum is not allowed.*
Wenn man die Schulregeln nicht beachtet, muss man vielleicht nachsitzen.	*If you don't observe the rules you may have to do detention.*
Manchmal bekommt man Strafarbeiten.	*Sometimes you get punishment exercises.*

Haben Sie das Übergangsjahr gemacht?	*Did you do Transition Year?*
Wie war es?	*How was it?/What was it like?*

Ja, ich habe das Übergangsjahr gemacht.	*Yes, I did Transition Year.*
Ich fand es sehr/unheimlich interessant.	*I found it very/really interesting.*

Ich habe Projekte in einigen Fächern gemacht.

I did projects in some subjects.

Wir haben einige Schulausflüge gemacht.

We went on some school trips.

Wir haben zum Beispiel eine Kunstausstellung besucht.

For example, we visited an art exhibition.

Ich habe auch zwei Wochen in einer Apotheke/Bibliothek/in einem Krankenhaus gearbeitet.

I also worked for two weeks in a chemist's/ library/hospital.

Das war eine gute Erfahrung.

That was a good experience.

Having a **general** understanding of the German school system is important. You may be asked the following questions.

Wie unterscheidet sich eine Schule in Deutschland von einer Schule in Irland?/Was ist an der Schule in Deutschland anders?	*How does a school in Germany differ from a school in Ireland?/ In what way is school in Germany different?*
Wo würden Sie lieber zur Schule gehen?	*Where would you prefer to go to school?*

In Deutschland fängt der Unterricht um 8 Uhr an und endet um 1 Uhr.
In Germany school starts at 8 o'clock and ends at 1 o'clock.

Man hat keinen Nachmittagsunterricht.
They have no afternoon lessons.

Man hat den Nachmittag frei.
They have the afternoon free.

In Irland beginnt die Schule normalerweise um 9 Uhr und ist um 4 Uhr aus.
In Ireland school normally begins at 9 o'clock and ends at 4 o'clock.

Die Schüler tragen keine Uniform.
The pupils don't wear a uniform.

Wir müssen eine Uniform tragen.
We have to wear a uniform.

Die Sommerferien sind kürzer – sie dauern ungefähr sechs Wochen.
The summer holidays are shorter – they last about six weeks.

Die Schulen sind koedukativ/gemischt.
The schools are co-educational/mixed.

In einigen Schulen in Deutschland muss man auch am Samstag zur Schule gehen.
In some schools in Germany you also have to go to school on Saturday.

Wir haben samstags keine Schule.
We have no school on Saturday.

Ich gehe lieber in Irland zur Schule.
I prefer to go to school in Ireland.

Man muss nicht so früh aufstehen und die Sommerferien sind länger.
You don't have to get up so early and the summer holidays are longer.

Ich würde lieber in Deutschland zur Schule gehen.
I would prefer to go to school in Germany.

Man hat den ganzen Nachmittag frei.
You have the whole afternoon free.

Das finde ich toll/prima.
I think that's great/fantastic.

Man hat mehr Zeit für Sport und andere Hobbys.
You have more time for sport and other hobbies.

Berufspläne

Was wollen Sie nach dem Schulabschluss/nach dem „Leaving Cert" machen?	*What do you want to do after the final exam/Leaving Cert?*
Wo/Was möchten Sie studieren?	*Where/What would you like to study?*
Wie lange dauert das Studium/ der Kurs?	*How long are the studies?/How long is the course?*

Ich möchte auf die Universität gehen.	*I would like to go to university.*
Ich möchte Pharmazie/Jura/Sprachen studieren.	*I would like to study pharmacy/law/ languages.*
Das Studium dauert fünf Jahre.	*The course lasts five years.*
Ich möchte Krankenpfleger(in)/Lehrer(in) /Friseur (Friseuse)/Rechtsanwalt (Rechtsanwältin) werden.	*I would like to become a nurse/teacher/ hairdresser/lawyer.*
Ich möchte in der Softwareindustrie arbeiten.	*I would like to work in the software industry.*

Ich weiß nicht genau.	*I don't know exactly.*
Ich bin noch nicht ganz sicher.	*I'm not quite sure yet.*
Es hängt von meinen Noten ab.	*It depends on my marks.*
Wenn ich gute Noten bekomme, werde ich vielleicht Naturwissenschaften studieren.	*If my marks are good I may study science.*
Vielleicht werde ich Kunst und Design studieren.	*Maybe I will study Art and Design.*

Warum interessieren Sie sich für diesen Beruf?	*Why are you interested in this career?*

Ich interessiere mich für Kunst.	*I am interested in art.*
Ich möchte mit Menschen arbeiten.	*I would like to work with people.*
Ich möchte einen interessanten Beruf haben.	*I would like to have an interesting career.*
Ich würde auch gern reisen.	*I would also like to travel.*
Ich möchte viel Geld verdienen.	*I would like to earn a lot of money.*
Ich bin ziemlich kunstbegabt.	*I am quite gifted at art.*
Ich liebe Musik und möchte einen musikalischen Beruf ergreifen.	*I love music and would like to take up a musical career.*
Ich arbeite gern am Computer.	*I like working on the computer.*
Ich arbeite gern mit Kindern.	*I like working with children.*

Freizeitbeschäftigung/Hobbys

Was machen Sie gern in Ihrer Freizeit?	*What do you like to do in your free time?*
Spielen Sie ein Instrument?	*Do you play an instrument?*
Lesen Sie gern? Was für Bücher lesen Sie?	*Do you like reading? What kinds of books do you read?*
Haben Sie eine Lieblingssendung?	*Do you have a favourite programme?*

Ich höre gern Musik und ich sehe gern fern.	*I like listening to music and I like watching TV.*
Meine Lieblingsgruppe ist U2.	*My favourite group is U2.*
Ich treibe gern Sport.	*I like playing sports.*
Ich bin sehr sportlich.	*I am very sporty.*
Im Sommer spiele ich viel Tennis und ich bin Mitglied eines Sportvereins.	*In the summer I play a lot of tennis and I am a member of a sports club.*
Ich bin nicht sehr sportlich, aber ich schwimme gern am Wochenende.	*I am not very sporty but I like swimming at the weekend.*
Ich spiele Klavier/Geige/Flöte.	*I play the piano/violin/flute.*
Ich lese gern, besonders Krimis.	*I like reading, especially crime stories.*
Ich sehe gern Musik-/Sportsendungen, aber ich habe keine Lieblingssendung.	*I like watching music/sport programmes but I don't have a favourite programme.*

Was haben Sie letztes Wochenende gemacht?	*What did you do last weekend?*
Letztes Wochenende habe ich meine Hausaufgaben gemacht.	*Last weekend I did my homework.*
Ich habe auch für meine mündliche Prüfung gelernt.	*I also studied for my Oral Exam.*
Ich habe mein Zimmer aufgeräumt.	*I tidied my room.*
Am Samstagnachmittag bin ich in die Stadt gefahren und habe meine Freunde getroffen.	*On Saturday afternoon I went into town and I met my friends.*
Wir sind in ein Café/ins Kino gegangen.	*We went to a café/the cinema.*
Wir haben einen tollen Film gesehen. Er war lustig/spannend.	*We saw a great film. It was funny/exciting.*

Nebenjobs/Taschengeld

Haben Sie einen Nebenjob?	*Do you have a part-time job?*
Haben Sie einen Nebenjob gehabt?	*Have you had a part-time job?*
Was machen Sie mit Ihrem Geld?	*What do you do with your money?*

Ich habe im Moment keinen Nebenjob, weil ich viel für die Prüfung lernen muss.

At the moment I don't have a part-time job because I have to do a lot of study for the exam.

Am Wochenende aber helfe ich zu Hause.

At the weekend, however, I help out at home.

Ich räume mein Zimmer auf.

I tidy my room.

Ich spüle ab und ich sauge Staub.

I do the washing-up and I vacuum.

Ich bekomme Taschengeld von meinen Eltern.

I get pocket money from my parents.

Ich habe einen Nebenjob. Ich arbeite samstags in einem Restaurant.

I have a part-time job. I work in a restaurant on Saturdays.

Ich bediene die Kunden und helfe manchmal in der Küche aus.

I serve the customers and help out sometimes in the kitchen.

Ich verdiene ziemlich gut – 9 Euro die Stunde – und ich bekomme auch Trinkgeld.

I earn quite good money – €9 an hour – and I also get tips.

Die Arbeit ist manchmal anstrengend.

The work is sometimes tiring.

Ich arbeite am Wochenende in einem Supermarkt.

I work in a supermarket at the weekend.

Ich fülle die Regale auf und arbeite manchmal an der Kasse.

I stack the shelves and sometimes work at the checkout.

Ich arbeite gern da.

I like working there.

Ab und zu gehe ich bei meinen Nachbarn babysitten.

Now and then I babysit for my neighbours.

Während die Kinder schlafen, mache ich meine Hausaufgaben.

While the children are sleeping I do my homework.

Die Arbeit ist leicht und ich kriege 20 Euro für den Abend.

The work is easy and I get €20 for the evening.

Ich habe einen Nebenjob gehabt.

I had a part-time job.

Letzten Sommer habe ich in einem Café/in einer Bäckerei/in einem Blumenladen gearbeitet.

Last summer I worked in a café/bakery/flower shop.

Ich habe die Kunden bedient.

I served the customers.

Die Arbeit hat mir gut gefallen und ich habe viel Geld verdient.

I liked the work and I earned a lot of money.

Ich habe Klamotten gekauft und ein bisschen Geld gespart.

I bought clothes and saved a little money.

Ich gebe mein Geld für CDs und Schulsachen aus.

I spend my money on CDs and school things.

Ich habe auch ein Handy, das ich ab und zu aufladen muss.

I also have a mobile phone that needs topping up now and then (with credit).

Ferien/Reisen

Waren Sie schon mal im Ausland? *Have you ever been abroad?*

Nein, ich war noch nie im Ausland.
Ja! Vor zwei Jahren war ich mit meiner
    Familie für zwei Wochen in Frankreich.
Wir waren auf einem Campingplatz.
Es hat mir viel Spaß gemacht.
Das Wetter war prima und ich bin oft
    schwimmen gegangen.

No, I have not yet been abroad.
Yes. Two years ago I was in France with my
    family for two weeks.
We stayed at a campsite.
I enjoyed it very much.
The weather was great and I often went
    swimming.

Letztes Jahr bin ich mit einer Schulgruppe nach Italien gefahren.	*Last year I went to Italy with a group from school.*
Unser Erdkundelehrer hat die Reise organisiert.	*Our Geography teacher organised the trip.*
Es war toll. Wir haben Florenz und Venedig besichtigt.	*It was great. We visited Florence and Venice.*
Ich fand die Architektur/die Gebäude schön und das Essen lecker.	*I found the architecture/the buildings beautiful and the food delicious.*

Was haben Sie für die kommenden Sommerferien vor?	**What have you planned for the coming summer holidays?**
Ich hoffe, diesen Sommer einen Nebenjob zu bekommen.	*I hope to get a part-time job this summer.*
Vielleicht werde ich in einem Supermarkt arbeiten.	*Maybe I will work in a supermarket.*
Ich möchte ein bisschen Geld verdienen und für die Universität sparen.	*I would like to earn a little money and save for university.*
Ich fahre auch mit meiner Familie in Urlaub.	*I am also going on holiday with my family.*
Wir werden im Juli für zwei Wochen nach Portugal fliegen.	*We are flying to Portugal in July for two weeks.*
Ich freue mich darauf.	*I'm looking forward to it.*

Was haben Sie letzten Sommer gemacht?	**What did you do last summer?**
Letzten Sommer habe ich drei Wochen in der „Gaeltacht" verbracht.	*Last summer I spent three weeks in the Gaeltacht.*
Ich habe viel Irisch gesprochen und auch nette Leute kennen gelernt.	*I spoke a lot of Irish and I also got to know nice people.*
Letzten Sommer bin ich in Irland geblieben, denn ich hatte einen Nebenjob.	*Last year I stayed in Ireland because I had a part-time job.*
Ich habe mich oft mit Freunden getroffen.	*I often met friends.*
Wir sind ab und zu ins Kino oder ins Schwimmbad gegangen.	*We went to the cinema now and then or to the swimming pool.*
Ich habe auch viel Sport getrieben.	*I also played a lot of sport.*
Zweimal oder dreimal die Woche habe ich Tennis gespielt.	*Twice or three times a week I played tennis.*
Das Wetter war leider nicht so gut. Es hat viel geregnet.	*Unfortunately, the weather was not so good. It rained a lot.*

Aufenthalt in Deutschland

Waren Sie schon mal in Deutschland/Österreich?	*Were you ever in Germany/Austria?*
Möchten Sie einmal nach Deutschland fahren?	*Would you like to go to Germany?*
Haben Sie einen Schüleraustausch gemacht?	*Have you done a student exchange?*

Ja! Ich war letztes Jahr/vor zwei Jahren in Deutschland.	*Yes. I was in Germany last year/two years ago.*
Ich habe einen Schüleraustausch gemacht.	*I did a student exchange.*
Ich habe drei Wochen in München/Köln verbracht.	*I spent three weeks in Munich/Cologne.*
Ich bin mit meinem Austauschpartner/meiner Austauschpartnerin gut ausgekommen.	*I got on well with my exchange partner.*
Ich fand die Sprache am Anfang schwer, aber ich habe viel gelernt.	*I found the language difficult at first but I learned a lot.*
Ich habe meistens nur Deutsch gesprochen.	*I mostly spoke only German.*
Meine Gastfamilie war sehr nett und gastfreundlich.	*My host family was very nice and hospitable.*
Wir haben die Stadt besichtigt, zum Beispiel den Dom, den Park und die Geschäfte.	*We visited the town, for example the cathedral, the park and the shops.*
Das Essen hat mir gut geschmeckt, besonders der Käsekuchen.	*I liked the food, especially the cheesecake.*

Der Austausch hat mir unheimlich viel Spaß gemacht.	*I really enjoyed the exchange.*
Mein Austauschpartner/Meine Austauschpartnerin kam zu Ostern zu mir.	*My exchange partner came to me at Easter.*
Irland hat ihm/ihr sehr gut gefallen.	*He/She liked Ireland a lot.*

Unsere Deutschlehrerin hat letzten Oktober eine Reise nach Deutschland und Österreich organisiert.	*Our German teacher organised a trip to Germany and Austria last October.*
Wir haben den berühmten Dom und den schönen Marktplatz in Salzburg besichtigt.	*We visited the famous cathedral and the beautiful market square in Salzburg.*
Wir haben auch München gesehen und einige schöne Schlösser in der Umgebung.	*We also saw Munich and some beautiful castles in the area.*
An einem Tag haben wir eine Schifffahrt auf dem Rhein gemacht. Das war toll.	*One day we went for a boat trip on the Rhine. That was great.*

Nein! Ich war noch nie in Deutschland, aber ich möchte einmal hinfahren.	*No! I was never in Germany but I would like to go there some time.*
Ich möchte die Hauptstadt Berlin sehen.	*I would like to see the capital city, Berlin.*
Oder vielleicht den Schwarzwald – der soll sehr schön sein.	*Or perhaps the Black Forest – it's supposed to be very nice.*

As you are required to have some knowledge of the countries where German is spoken (*Landeskunde*), it is advisable to have prepared briefly for the following topics. You will find some ideas among the sample answers here.

Was wissen Sie über Deutschland?	*What do you know about Germany?*
Was isst man in Deutschland?	*What food do they eat in Germany?*
Kennen Sie vielleicht ein deutsches Fest?	*Maybe you know a German festival?*

Das Land hat ungefähr 80 Millionen Einwohner.	*The country has about 80 million inhabitants.*
Berlin ist die Hauptstadt.	*Berlin is the capital city.*
Deutschlands Autofirmen sind weltbekannt, zum Beispiel Volkswagen, Mercedes und BMW.	*Germany's car firms are known all over the world, for example Volkswagen, Mercedes and BMW.*

Man isst viel Wurst, Aufschnitt und Käse in Deutschland.	*They eat a lot of sausage, cold sliced meat/salami and cheese in Germany.*
Man isst auch gern Schnitzel und Sauerkraut.	*They also like to eat schnitzel and sauerkraut.*
Es gibt viele verschiedene Brotsorten und leckere Kuchen, zum Beispiel Schwarzwälder Kirschtorte.	*There are many different types of bread and delicious cakes, for example Black Forest Gateau.*
Weihnachten ist ein großes Familienfest in Deutschland.	*Christmas is a big family festival in Germany.*
Die Kinder bekommen Geschenke vom Christkind und der Heiligabend ist für sie der wichtigste Tag.	*The children get presents from the Christ Child and Christmas Eve is the most important day for them.*
Viele Leute gehen an Heiligabend in die Kirche.	*Many people go to church on Christmas Eve.*
Man schmückt den Christbaum kurz vor Weihnachten.	*They decorate the Christmas tree shortly before Christmas.*
Man isst viel Lebkuchen und die Erwachsenen trinken Glühwein.	*They eat a lot of gingerbread and the adults drink mulled wine.*

Man feiert auch Karneval.	*They also celebrate carnival.*
In Süddeutschland und in Österreich nennt man das Fasching.	*In southern Germany and in Austria it is called 'Fasching'.*
Es gibt viele Umzüge, besonders am Rosenmontag.	*There are many parades, especially on Rose Monday.*
Das ist der Montag vor Aschermittwoch.	*That is the Monday before Ash Wednesday.*
Die Leute verkleiden sich.	*The people dress up in fancy dress.*
Die Atmosphäre ist immer toll.	*The atmosphere is always great.*
Die Leute haben viel Spaß.	*The people have a lot of fun.*

Literarischer Text/Film

exam focus

Möchten Sie etwas über einen literarischen Text erzählen, den Sie gelesen haben?	*Would you like to talk about a literary text that you have read?*
Was gefällt Ihnen an diesem Gedicht/an dieser Geschichte/an diesem Roman?	*What do you like about this poem/ story/novel?*
Wissen Sie etwas über den Dichter/Autor?	*Do you know anything about the poet/author?*

Nein, lieber nicht.

No, I would prefer not to.

Ja, ich habe das Gedicht „Weihnachtslied" von Theodor Storm gelesen. In dem Gedicht werden die typischen Bilder von Weihnachten verwendet. Der Dichter denkt an einen Stern im Himmel und an eine kerzenhelle Nacht. Er spricht vom Tannenwald. Er hört Kirchenglocken in der Ferne. Weihnachten ist für ihn eine sehr schöne und magische Zeit. Es hat einen Zauber für ihn. Weihnachten ist ein Wunder. Das Gedicht ist voller Freude.

Yes, I read the poem 'Weihnachtslied' ('Christmas Song') by Theodor Storm (see below). In the poem typical Christmas images appear. The poet thinks of a star in the sky and a night bright with candlelight. He talks about the fir tree forest. He hears church bells in the distance. Christmas is a very beautiful and magical time for him. It has a charm for him. Christmas is a wonder. The poem is full of joy.

Das Gedicht gefällt mir. Es ist sehr schön. Ich kann die Gedanken und Gefühle des Dichters gut verstehen. Weihnachten ist auch für mich eine magische Zeit. Ich liebe die Atmosphäre, den Christbaum, die Weihnachtslieder und so weiter.

I like the poem. It is very beautiful. I can really understand the thoughts and feelings of the poet. Christmas is a magical time for me too. I love the atmosphere, the Christmas tree, the Christmas carols and so on.

Theodor Storm wurde 1817 in Husum geboren und ist 1888 gestorben. Er hat viele Gedichte und Geschichten geschrieben. Das Motiv Weihnachten als Fest taucht oft in seinen Erzählungen und Gedichten auf.

Theodor Storm was born in Husum in 1817 and died in 1888. He wrote many poems and stories. The motif of Christmas as a festival often occurs in his stories and poems.

Weihnachtslied

Vom Himmel in die tiefsten Klüfte
Ein milder Stern herniederlacht;
Vom Tannenwalde steigen Düfte
Und hauchen durch die Winterlüfte,
Und kerzenhelle wird die Nacht.

Mir ist das Herz so froh erschrocken
Das ist die liebe Weihnachtszeit!
Ich höre fernher Kirchenglocken
Mich lieblich heimatlich verlocken
In märchenstille Herrlichkeit.

Ein frommer Zauber hält mich wieder,
Anbetend, staunend muss ich stehn;
Es sinkt auf meine Augenlider
Ein goldner Kindertraum hernieder,
Ich fühl's, ein Wunder ist geschehn.

THEODOR STORM

Vocabulary

Kirchenglocken (*fpl.*) *church bells*
verlocken *to entice*
märchenstill *quiet as a fairytale*
fromm *pious/religious*
der Zauber *magic/charm*
ein Wunder *a wonder/miracle*
geschehen (*geschieht, geschah,*
  geschehen) *to happen*

Möchten Sie über einen deutschen Film sprechen, den Sie gesehen haben?	Would you like to talk about a German film that you have seen?
Was gefällt Ihnen an diesem Film?	What do you like about this film?
Wissen Sie etwas über den Regisseur?	Do you know anything about the director?

Ich habe den Film „Die fetten Jahre sind vorbei" gesehen. In diesem Film geht es um drei junge Leute, die gegen den Kapitalismus protestieren. Sie brechen in reiche Häuser ein und stellen die Möbel um. Aber sie stehlen nichts. Eines Tages brechen sie in ein Haus ein und der Besitzer kommt nach Hause. Sie müssen schnell entscheiden. Sie entführen ihn und bringen ihn zu einer Berghütte. Sie sprechen mit ihm über ihre Meinungen. Nach einigen Tagen lassen sie ihn frei. Die drei jungen Leute fliehen.

I saw the film 'Die fetten Jahre sind vorbei' (The Educators). The film is about three young people who protest against capitalism. They break into expensive houses and rearrange the furniture. But they don't steal anything. One day they break into a house and the owner comes home. They have to decide quickly. They kidnap him and take him to a mountain hut. They talk to him about their opinions. After a few days they let him go. The three young people flee.

Der Film hat mir gut gefallen. Ich mag die drei jungen Schauspieler. Sie spielen ihre Rollen sehr gut. Der Film ist interessant und spannend.

I liked the film. I like the three young actors. They play their parts very well. The film is interesting and exciting.

Der Regisseur heißt Hans Weingartner. Er kommt aus Österreich. Dieser Film ist sein zweiter Film.

The director's name is Hans Weingartner. He comes from Austria. This film is his second film.

Ich habe den Film „Stille Sehnsucht" gesehen. Der Film handelt von einer jungen Mutter, Senada. Senada hat ihre Tochter Aida im Bosnienkrieg verloren. Viele Jahre später erfährt sie, dass Aida bei Adoptiveltern in Deutschland wohnt. Sie reist illegal nach Deutschland, um ihre Tochter zu finden. Aber Aida wohnt glücklich bei ihren Adoptiveltern und kennt ihre biologische Mutter nicht. Die Geschichte ist sehr traurig. Senada muss ohne ihre Tochter nach Hause fahren.

I saw the film 'Stille Sehnsucht' (Warchild). The film is about a young mother, Senada. Senada lost her daughter in the Bosnian war. Many years later she finds out that Aida is living with adoptive parents in Germany. She travels illegally to Germany to find her daughter. But Aida is living happily with her adoptive parents and does not know her biological mother. The story is very sad. Senada has to return home without her daughter.

Der Film hat mir sehr gut gefallen. Die Schauspielerin Labina Mitevska hat die Hauptrolle gespielt und sie war sehr gut. Sie kommt aus Bosnien. Die Sprache war ein bisschen schwer zu verstehen, aber der Film hatte natürlich Untertitel.

I liked the film a lot. The actress Labina Mitevska played the main part and was very good. She comes from Bosnia. The language was a little difficult to understand but of course the film had subtitles.

Der Regisseur heißt Christian Wagner. Er kommt aus Deutschland.

The director's name is Christian Wagner. He comes from Germany.

Section two: Picture sequence/project

This section of the Oral is worth **30 marks**. In this section you are presented with a choice: **picture sequence** *or* **project**. You will be examined on **one** of the five picture sequences prepared by you for the Oral Examination *or* you may talk about a project you have done on some aspect of culture in a German-speaking country.

Picture sequence

The five picture sequence cards will be presented (face down!) to you and you will be asked to select one. You will then be given **30 seconds** (*dreißig Sekunden/eine halbe Minute Zeit*) to gather your thoughts and prepare.

Then the examination will proceed in the following way:

- **Narration:** You will be asked to **tell** the story: Erzählen Sie mir jetzt die Geschichte!
- **Explanation and future projection:** You will be asked to explain some aspect(s) of the story and to say what you think will happen next.
- **Opinion on issue:** You will be asked a few questions on the topic(s) arising out of the story.

exam focus

Each of the **three areas** in this section carries **equal marks**. They are worth **10 marks each**.

Picture example

VORSICHT BEIM RAUCHEN!

Look at the following example. You may tell the story in the **present tense**.

Remember to keep the narration simple and concise. While it is important not to omit significant details, there are **no extra marks** for long-winded extraneous information.

Narration

Drei junge Leute haben einen Nebenjob auf einem Bauernhof. Sie treiben die Kühe auf die Weide. Der Bauer, Herr Meyer, steht neben ihnen. Einige Minuten später machen sie eine Pause. Sie sitzen hinter der Scheune und rauchen Zigaretten. Sie sehen ganz entspannt aus. Plötzlich ruft der Bauer: „Kommt her! Ich brauche eure Hilfe." Die jungen Leute haben Angst. Rauchen ist verboten. Sie werfen ihre Zigaretten in den Busch. Der Busch fängt sofort Feuer. Frau Meyer kommt gerade vorbei und sieht die Flammen. Sie ruft ihren Mann. Er kommt gleich mit einem Schlauch. Frau Meyer bringt zwei Eimer Wasser und sie löschen das Feuer. Herr Meyer geht danach zu den jungen Leuten und fragt: „Könnt ihr bitte dieses Feuer erklären? Habt ihr Zigaretten geraucht?" Die jungen Leute sagen aber nichts.

Three young people have a part-time job on a farm. They are bringing the cows to the meadow. The farmer, Herr Meyer, is standing beside them. A few minutes later they take a break. They are sitting behind the barn and are smoking cigarettes. They look quite relaxed. Suddenly the farmer calls out: "Come here! I need your help." The young people are afraid. Smoking is forbidden. They throw their cigarettes into the bush. The bush catches fire immediately. Frau Meyer comes by at that moment and sees the flames. She calls her husband. He comes at once with a hose. Frau Meyer brings two buckets of water and they put out the fire. Afterwards, Herr Meyer goes to the young people and asks: "Can you explain this fire? Have you been smoking cigarettes?" But the young people don't say anything.

This is a part of the exam that can be completely prepared. Therefore, it is well worth taking the time to **learn and prepare exactly** what you are going to say.

Explanation

In this section, the examiner will ask you to **explain** details of the pictures which may not have been dealt with in the storytelling. The following sample questions and answers illustrate this approach.

Anticipate possible questions by examining the individual pictures and **have your ideas prepared**.

Bild 1

1. **Was sagt der Bauer?**   *What does the farmer say?*
   Er sagt: „Treibt die Kühe auf die Weide!"   *He says "Bring the cows to the meadow."*
2. **Was trägt das Mädchen?**   *What is the girl wearing?*
   Das Mädchen trägt eine Jeans, ein   *The girl is wearing jeans, a T-shirt*
       T-Shirt und Gummistiefel.   *and rubber boots.*
3. **Wie sieht der Bauer aus?**   *How does the farmer look?*
   Der Bauer trägt ein Hemd, einen Hut,   *The farmer is wearing a shirt, a hat,*
       eine Hose und Gummistiefel.   *trousers and rubber boots.*

Bild 2

1. **Wo sitzen die jungen Leute?**   *Where are the young people sitting?*
   Sie sitzen hinter der Scheune.   *They are sitting behind the barn.*
2. **Warum rauchen sie?**   *Why are they smoking?*
   Sie rauchen gern Zigaretten. Sie   *They like smoking cigarettes. They are*
       entspannen sich.   *relaxing.*
3. **Warum arbeiten sie nicht?**   *Why are they not working?*
   Sie machen eine Pause. Sie sind müde.   *They are taking a break. They are tired.*

Bild 3

1. **Warum werfen sie die Zigaretten weg?**   *Why do they throw the cigarettes away?*
   Sie haben Angst. Der Bauer kommt.   *They are afraid. The farmer is coming.*
       Rauchen ist verboten.   *Smoking is forbidden.*
2. **Warum machen sie die Zigaretten nicht aus?** *Why do they not put out the cigarettes?*
   Sie haben keine Zeit, die Zigaretten   *They have no time to put out the cigarettes.*
       auszumachen.
3. **Was will der Bauer?**   *What does the farmer want?*
   Der Bauer will ihre Hilfe. Sie müssen   *The farmer wants their help. They have*
       wieder arbeiten.   *to go back to work.*

Bild 4

1. **Wie sieht die Frau aus?**   *How does the woman look?*
   Sie ist etwa vierzig Jahre alt. Ihr Haar ist   *She is about forty years old. Her hair is*
       zu einem Knoten gebunden. Sie sieht   *tied in a bun. She looks anxious.*
       ängstlich aus.
2. **Wovor hat sie Angst?**   *What is she afraid of?*
   Sie hat Angst, dass die Scheune Feuer fängt.   *She is afraid the barn will catch fire.*

Bild 5

1. **Was hat die Frau in den Händen?**   *What does the woman have in her hands?*
   Die Frau hat zwei Eimer Wasser.   *The woman has two buckets of water.*
2. **Warum hat der Mann einen Schlauch?**   *Why does the man have a hose?*
   Der Mann hat einen Schlauch, um das   *The man has a hose to put out the fire.*
       Feuer zu löschen.

Bild 6

1. **Was sagt der Bauer?** — *What does the farmer say?*
   Er sagt: „Wie hat der Busch Feuer gefangen? Habt ihr geraucht?" — *He says: "How did the bush catch fire. Have you been smoking?"*
2. **Wie sieht er aus?** — *How does he look?*
   Er sieht wütend aus. — *He looks furious.*
3. **Wie reagieren die jungen Leute?** — *How do the young people react?*
   Die jungen Leute sagen: „Wir wissen nichts davon." Sie lügen. — *The young people say: "We don't know anything about it." They lie.*
4. **Wie sehen sie aus?** — *How do they look?*
   Sie sehen ängstlich/besorgt aus. — *They look frightened/worried.*

Future projection

You will be asked to say how the story continues. What happens next? **Think** about this before the exam and have your ideas **prepared**.

The following sample questions and answers will show you how this is done.

Sample questions

1. Was passiert jetzt? Wie geht die Geschichte weiter? — *What happens now? How does the story continue?*
2. Lügen die jungen Leute oder sagen sie die Wahrheit? — *Do the young people lie or do they tell the truth?*
3. Dürfen sie weiter auf dem Bauernhof arbeiten? — *Are they allowed to continue working on the farm?*

Sample answers

1. Sie geben zu, dass sie geraucht haben. — *They admit that they were smoking.*
2. Die jungen Leute sagen endlich die Wahrheit. — *The young people eventually tell the truth.*
3. Sie dürfen weiter auf dem Bauernhof arbeiten. Sie entschuldigen sich und versprechen, nie wieder zu rauchen. — *They are allowed to continue working on the farm. They apologise and promise never to smoke again.*

Opinion on issue

In this section you will be asked a few questions on the topic/issue arising out of the story. While you cannot prepare this with the same degree of accuracy as the storytelling, you can have some answers **prepared**.

> The story might lend itself to **more** than one topic. So consider **all** angles. Anticipate areas of comparison with your personal life and/or Ireland.

In this particular story, **three** possible topics emerge:

- Smoking and health   • Life in the country   • Part-time jobs

Pay close attention to the variety of the sample questions and answers that follow. You might think of more!

Sample questions

1. Rauchen Sie? Warum? Warum nicht? — *Do you smoke? Why? Why not?*
2. Warum ist Rauchen schlecht? — *Why is smoking bad?*
3. Rauchen viele junge Iren? Warum? — *Do many young Irish people smoke? Why?*
4. Haben Sie einen Nebenjob? — *Do you have a part-time job?*
5. Was sind die Vor- und Nachteile eines Nebenjobs? — *What are the advantages and disadvantages of part-time work?*
6. Wie ist das Leben auf dem Land? — *What is life like in the country?*
7. Wo ist es besser – auf dem Land oder in der Stadt? — *Where is it better – in the country or in the town?*
8. Wo möchten Sie lieber wohnen und warum? — *Where would you prefer to live and why?*

Sample answers

1. Ich rauche nicht. Ich finde es blöd. — *I don't smoke. I think it's stupid.*
2. Es ist schlecht für die Gesundheit und Zigaretten sind teuer. — *It's bad for one's health and cigarettes are expensive.*
3. Ja, viele junge Iren rauchen. Es ist eine Gewohnheit. Viele sind süchtig. Andere finden es cool. — *Yes, a lot of young Irish people smoke. It is a habit. Many are addicted. Others think it's cool.*
4. Ja, ich habe einen Nebenjob. Ich arbeite am Wochenende in einem Supermarkt. — *Yes, I have a part-time job. I work in a supermarket at the weekend.*

    Nein, dieses Jahr habe ich keine Zeit für einen Nebenjob. Ich muss so viel lernen. Ich habe letzten Sommer in einem Restaurant gearbeitet. Die Arbeit hat mir Spaß gemacht und ich habe gut verdient. — *No, this year I don't have time for a part-time job. I have so much study. Last year I worked in a restaurant. I enjoyed the work and I earned good money.*

5. Die Vorteile sind: Es macht Spaß und man kann sein eigenes Geld verdienen. Man lernt auch Leute kennen. Es gibt aber auch Nachteile: Man vernachlässigt vielleicht die Hausaufgaben. Man wird müde und kann sich in der Schule nicht konzentrieren. — *The advantages are: it is fun and you can earn your own money. You also get to know people. But there are also disadvantages: you might neglect your homework. You get tired and can't concentrate in school.*

6. Das Leben auf dem Land ist gut. Die Landschaft ist schön und es ist ruhig. Es kann aber auch langweilig sein.

   Life in the country is good. The countryside is nice and it is quiet. But it can also be boring.

7. Es kommt darauf an! Auf dem Land ist es, wie gesagt, schön und ruhig. In der Stadt aber ist mehr los und man fühlt sich nicht so einsam oder isoliert.

   It depends! As I said, in the country it's nice and quiet. There is more to do in town, however, and you don't feel so lonely or isolated.

8. Ich möchte lieber in der Stadt wohnen. Dort ist viel mehr los. Es gibt Diskos, Kinos und gute Sportmöglichkeiten. Man kann einkaufen gehen und Freunde treffen.

   I would prefer to live in the town. There is more to do there. There are discos, cinemas and good sporting opportunities. You can go shopping and meet friends.

Project

You may choose to talk about a project you have done on **some aspect of German-speaking culture**, e.g. music, history, a German sports star, the German/Austrian school system, national festivals, a tourist/historic area or city in a German-speaking country. There are many possibilities. The work would reflect your personal area of interest.

You will present the project to the examiner on the day of the Oral Examination at the briefing meeting. The examiner will look briefly at the project and then return it to you. You will later bring the project with you into the examination.

As in the case of the picture sequence, there are **three** areas tested:

- **Presentation:** You will be asked to **talk uninterrupted** about the **content** of your project. This should last no longer than **2 minutes**.

- **Clarification and explanation:** You will be asked to **clarify** some aspect or aspects you have touched on in your presentation, or to expand a little on what you have said. You will then be asked to **explain briefly how you actually worked on the project**.

- **Opinion on issue:** You will be asked to give your **opinion on the wider issue** or issues arising out of your project.

Project example: Berlin

Presentation

The following is an **example** of a presentation. It illustrates how you might present your project if you had chosen a town or city in a German-speaking country.

Ich habe mein Projekt über Berlin gemacht. Die Stadt hat eine sehr interessante Geschichte. Nach dem Zweiten Weltkrieg wurde die Stadt geteilt. Im August 1961 wurde die Berliner Mauer gebaut. Viele Menschen sind bei Fluchtversuchen an dieser Mauer ums Leben gekommen. Am 9. November 1989 wurde die Mauer geöffnet. Viele Ostberliner besuchten in dieser Nacht Westberlin und viele Westberliner kamen zur Mauer, um die Ostberliner zu begrüßen. Am 3. Oktober 1990 wurde die Stadt wiedervereinigt.

Die Stadt hat viele Sehenswürdigkeiten. Das Brandenburger Tor ist das

As in the case of the Picture Sequence, you will have **prepared** what you are going to say. Keep it simple and concise.

Wahrzeichen Berlins. Der Potsdamer Platz ist eine der beliebtesten Attraktionen. Der Ku'damm ist ein sehr großer und beliebter Einkaufsboulevard. Andere Sehenswürdigkeiten sind der Reichstag, der Alexanderplatz, die Staatsoper und das Jüdische Museum.

Berlin ist heute die Hauptstadt von Deutschland und hat 3,5 Millionen Einwohner.

Translation

I did my project on Berlin. The city has a very interesting history. After the Second World War the city was divided. In August 1961 the Berlin Wall was built. Many people lost their lives at this wall while trying to escape. On 9 November 1989 the wall was opened. Many East Berliners visited West Berlin on this night and many West Berliners came to the wall to greet the East Berliners. On 3 October 1990 the city was reunited.

The city has many tourist sights. The Brandenburg Gate is the emblem of Berlin. Potsdam Square is one of the most popular attractions. The Ku'damm is a very large and very popular shopping boulevard. Other tourist sights are the Reichstag (German Parliament building), Alexander Square, the State Opera House and the Jewish Museum.

Today Berlin is the capital of Germany and has 3.5 million inhabitants.

Clarification

In this section you are asked to **clarify** some aspect or aspects mentioned in your presentation. It is very important that you give this some thought and preparation beforehand.

The following examples illustrate the types of questions asked and how you could answer effectively.

> **key point**
>
> Be able to say **why** you chose this particular topic. The examiner may **tease out** something you have mentioned in your presentation. So have it **prepared**.

Sample questions

1. Warum haben Sie Berlin als Projekt gewählt?

   Why did you choose Berlin as a project?

2. Waren Sie schon in Berlin?

   Have you been in Berlin?

3. Sie haben vom Brandenburger Tor/vom Jüdischen Museum/vom Reichstag gesprochen. Können Sie ein bisschen mehr davon erzählen?/Können Sie es/ihn genauer beschreiben?

   You spoke about the Brandenburg Gate/ the Jewish Museum/the Reichstag. Could you say a little bit more about it?/ Could you describe it more exactly?

Sample answers

1. Ich habe mein Projekt über Berlin gemacht, weil ich mich für Geschichte interessiere und Berlin historisch sehr interessant ist.

   I did my project on Berlin because I'm interested in history and Berlin is historically very interesting.

   Berlin ist auch die Hauptstadt und die größte Stadt in Deutschland.

   Berlin is also the capital and the largest city in Germany.

2. Nein, leider war ich noch nie in Berlin, aber ich möchte die Stadt eines Tages besuchen.

   No, unfortunately I was never in Berlin but I would like to visit the city one day.

3. Das Brandenburger Tor stammt aus dem achtzehnten Jahrhundert.

    The Brandenburg Gate dates from the eighteenth century.

    Am neunten November 1989, dem Tag des Mauerfalls, haben viele Leute hier gefeiert und die Bilder gingen rund um die Welt.

    On 9 November 1989, the day of the fall of the Berlin Wall, many people celebrated here and the pictures were seen all around the world.

    Das Jüdische Museum dokumentiert die Geschichte der Juden in Berlin und in Deutschland.

    The Jewish Museum documents the history of the Jews in Berlin and in Germany.

    Der Reichstag ist das Parlamentsgebäude.

    The Reichstag is the parliament building.

    Der Bundestag hat dort seinen neuen Sitz.

    The Bundestag (German Parliament) has its new seat there.

Explanation

Here you are asked to explain **briefly** how you actually worked on the project.

Pay close attention to the following questions and suggested answers.

> **key point**
>
> This section is very easy to prepare, so don't neglect it!

Sample questions

1. Wo haben Sie Ihre Informationen über Berlin bekommen?

    Where did you get your information on Berlin?

2. Wie lange haben Sie daran gearbeitet?

    How long did you work on it?

3. Wo haben Sie meistens daran gearbeitet?

    Where did you do most of the work on it?

Sample answers

1. Ich habe einige Informationen in Geschichtsbüchern gefunden.

    I found some information in history books.

    Ich habe auch Informationen aus dem Internet bekommen.

    I also got information from the Internet.

    Bilder und Broschüren habe ich von meiner Deutschlehrerin/von der Deutschen Botschaft bekommen.

    I got pictures and brochures in my German teacher/from the German Embassy.

2. Ich habe mein Projekt im Übergangsjahr/letztes Jahr begonnen und dieses Jahr fertig gemacht.

    I started my project in Transition Year/last year and finished it this year.

    Ich habe viele Stunden/Wochen/Monate daran gearbeitet.

    I worked on it for many hours/weeks/months.

3. Ich habe teilweise zu Hause und teilweise in der Schulbibliothek gearbeitet.

    I worked partly at home and partly in the school library.

Opinion on issue

As with the picture sequence, you are asked about the **topic** or topics arising out of your project.

Look at the following examples for ideas on how to approach this section.

Sample questions

1. Sie haben gesagt, dass Sie sich für Geschichte interessieren. Machen Sie Geschichte für das „Leaving Cert"?

   You said that you are interested in history. Are you doing History for the Leaving Cert?

2. Ist Geschichte Ihrer Meinung nach ein wichtiges Fach?

   Is History an important subject in your opinion?

Sample answers

1. Ja, ich mache Geschichte für das „Leaving Cert". Ich finde es sehr interesssant.

   Yes, I'm doing History for the Leaving Cert. I find it very interesting.

2. Ich glaube, Geschichte ist ein sehr wichtiges Fach. Man kann von der Vergangenheit viel lernen. Man muss zum Beispiel verhindern, dass so etwas wie der Holocaust wieder passiert.

   I think that History is a very important subject. You can learn a lot from the past. For example, we must prevent something like the Holocaust from ever happening again.

Sample questions

1. Berlin ist sicher eine schöne Stadt mit vielen Sehenswürdigkeiten. Kann man unsere Hauptstadt Dublin mit Berlin vergleichen?

   Berlin is certainly a beautiful city with many tourist sights. Can one compare our capital city, Dublin, with Berlin?

2. Welche Sehenswürdigkeiten gibt es in Dublin?

   What are the tourist sights in Dublin?

Sample answers

1. Dublin ist nicht so groß wie Berlin. Dublin hat ungefähr eineinhalb Millionen Einwohner.

   Dublin is not as big as Berlin. Dublin has about one and a half million inhabitants.

2. Es gibt viele Sehenswürdigkeiten in Dublin und viele Touristen besuchen jedes Jahr die Stadt.

   There are a lot of tourist sights in Dublin and many tourists visit the city every year.

   Das Book of Kells im Trinity College zieht viele Touristen an.

   The Book of Kells in Trinity College attracts many tourists.

   Die Nationalgalerie und die Museen sind sehr beliebt.

   The National Gallery and the museums are very popular.

Der Phoenix Park, einer der größten Parks in Europa, und der Zoo sind auch sehenswert.	*The Phoenix Park, one of the biggest parks in Europe, and the zoo are also worth seeing.*
Der Dom von Sankt Patrick ist historisch und von der Architektur her sehr interessant.	*St Patrick's Cathedral is historically and architecturally very interesting.*
Unsere belebte Einkaufsstraße „Grafton Street" ist auch sehr schön.	*Our busy shopping street, Grafton Street, is also very nice.*

Section three: Role-play

The third section of the Oral Examination is the role-play; it is worth **30 marks**. You will have prepared the five role-plays prescribed for your examination. They will be presented (face down) to you and you will select one. You will be given **1 minute to prepare** (*eine Minute Zeit*).

Most of the marks in this section are awarded for **effective communication**. There are **five tasks** in each role-play. Each task is awarded **4 marks for successful completion**, a total of 20 marks. The remaining **10 marks** are awarded for **vocabulary and accuracy**.

Sample role-play

Pass verloren!

Sie sind seit drei Tagen in Hannover. Sie haben **Ihren Rucksack in der U-Bahn liegen lassen**. In dem Rucksack war auch Ihr Pass. Sie gehen zur Polizei und melden den Verlust Ihres Passes.

1. **Sagen Sie**, wer Sie sind und was Sie wollen: Pass verloren. Warum so dringend gebraucht?
2. **Beantworten Sie** die Fragen des Polizisten/der Polizistin: Woher Sie kommen. Seit wann in Hannover, mit wem und warum?
3. **Beschreiben Sie,** wie, wo genau und wann Rucksack liegen lassen: U-Bahn ...
4. **Erklären Sie** dem Polizisten/der Polizistin, was Sie bereits gemacht haben: Sofort zum Schalter in der U-Bahn am Leibnizplatz gegangen, leider ohne Erfolg. Verzweifelt ...
5. **Beantworten Sie** die Fragen des Polizisten/der Polizistin: Name buchstabieren, Kontaktadresse in Hannover. **Fragen Sie,** ob Sie sich auch an irisches Konsulat in Berlin wenden sollten ...

Die Prüferin/der Prüfer spielt die Rolle der Polizistin/des Polizisten.

Translation: You have lost your passport!

You have been in Hanover for the past three days. You have **left your bag behind** on the **underground** train. Your passport was also in the bag. You go to the **police station** in Hanover and **report the loss of your passport**.

1. **Explain** who you are and what you want: Passport lost. Why needed so urgently?
2. **Answer** the policeman's/policewoman's questions: Where you are from? How long in Hanover, with whom and why?
3. **Describe** how, where and when you left your rucksack: Underground train …
4. **Explain** to the policeman/policewoman what you have already done: Went immediately to the underground desk in Leibnizplatz, unfortunately without success. Despairing …
5. **Answer** the policeman's/policewoman's questions: Spell your name, contact address in Hanover. Ask if you should contact the Irish Consulate in Berlin …

The examiner will play the role of the police official.

In order to help you to achieve **effective communication** and **maximise your marks** consider the following **tips** very **carefully**.

1. Within each task there are **details/sub-tasks** which you should read and understand **fully**.

2. The dialogue should develop **naturally** between you and the examiner. You will work through the tasks **with** the examiner.

3. Sometimes students lose marks here by rushing ahead to the next task without **due completion** of the previous one. **Listen** to the examiner and **react** accordingly.

4. **Don't just read** what is on your card. If you do this you will **lose marks!** Learn to manipulate the language and communicate **meaningfully**. For example, if your role-play card presents you with the following instructions: 'Sagen Sie, wer Sie sind und was Sie wollen', you must **adapt** the language to yourself, i.e. 'Ich heiße …' and 'Ich will/möchte …'

5. Pay particular attention to the words highlighted in bold on the role-play card, e.g. '**Sagen Sie**' (*Say*), '**Beantworten Sie**' (*Answer*), '**Beschreiben Sie**' (*Describe*), '**Erklären Sie**' (*Explain*), '**Fragen Sie**' (*Ask*) and prepare accordingly.

6. If you give the role-play due care and time, you should be able to gain **full marks for communication**.

Now pay close attention to the following dialogue. It shows how a role-play **might** develop.

Sample dialogue

Note: Italics indicate the role played by the examiner.

---

1 *Guten Tag! Kann ich Ihnen helfen?*
Ich heiße Paul Johnston. Ich habe meinen Pass verloren. Ich brauche ihn dringend, denn ich fliege übermorgen nach Irland zurück.

2 *Woher kommen Sie?*
Ich komme aus Irland.
Seit wann sind Sie in Hannover?
Ich bin seit drei Tagen hier.
Reisen Sie allein in Deutschland?
Nein, ich bin mit meinem Bruder hier. Wir besuchen Freunde in Hannover.

3 *Wie haben Sie den Pass verloren?*
Ich war heute Nachmittag in der U-Bahn. Ich bin um 2 Uhr am Leibnizplatz ausgestiegen. Aber ich habe meinen Rucksack liegen lassen. Leider ist mein Pass drin.

4 *Was haben Sie bereits gemacht?*
Ich bin sofort zum Schalter in der U-Bahn am Leibnizplatz gegangen, aber leider ohne Erfolg. Ich bin verzweifelt. Ich weiß nicht, was ich machen kann. Wie gesagt, ich fliege übermorgen nach Irland und ich brauche dringend meinen Pass.

5 *Keine Angst! Der Pass wird vielleicht noch abgegeben. Wie buchstabiert man Ihren Namen, bitte?*
P-A-U-L J-O-H-N-S-T-O-N.
Wie ist Ihre Adresse hier in Hannover?
Ich wohne bei der Familie Lenz, Birkenstraße 7. Soll ich mich auch an das irische Konsulat in Berlin wenden?
Ja, das wäre eine gute Idee. Das Konsulat kann Ihnen bestimmt helfen. Wenn der Pass inzwischen abgegeben wird, sagen wir Ihnen sofort Bescheid.
Danke schön!

Translation

Note: Italics indicate the role played by the examiner.

---

1   *Hello. Can I help you?*
My name is Paul Johnston. I've lost my passport. I need it urgently because I'm flying back to Ireland the day after tomorrow.

2   *Where do you come from?*
I come from Ireland.
How long have you been in Hanover?
I've been here for three days.
Are you travelling alone in Germany?
No. I'm here with my brother. We're visiting friends in Hanover.

3   *How did you lose your passport?*
I was on the underground train this afternoon. I got out at the Leibnizplatz at 2 o'clock. But I left my rucksack behind. Unfortunately my passport is in it.

4   *What have you done so far?*
I went to the counter at the Leibnizplatz straight away, but unfortunately without success. I am in despair. I don't know what I can do. As I said, I'm flying to Ireland the day after tomorrow and I need my passport urgently.

5   *Don't worry! The passport might still be handed in. How do you spell your name, please?*
P-A-U-L J-O-H-N-S-T-O-N.
What is your address here in Hanover?
I'm staying with the Lenz family, number 7 Birkenstraße. Should I also contact the Irish Consulate in Berlin?
Yes, that would be a good idea. They can certainly help you. In the meantime, if the passport is handed in, we will let you know immediately.
Thank you!

2 Reading Comprehension (*Leseverständnis*)

aims
- To introduce you to a wide variety of reading material.
- To show you how to score highly on comprehension questions.

There are **two** Reading Comprehension passages, each carrying **60 marks**. **Text I** is usually a **literary text**, generally an extract from a fictional work such as a novel or a short story. The second passage, **Text II**, is written in the style of a **newspaper or magazine article** and is factual in content. On **both** passages questions are asked in **German** and in **English** and these are clearly indicated.

There will also be an '**Äußerung zum Thema**' question in which you are asked to express yourself on the theme arising out of **one** of the passages and an '**Angewandte Grammatik**' question based on the language of the **other** passage. These tasks are each worth **25 marks**.

This section shows you how to go about answering the Reading Comprehension questions. In each of the comprehension sections, literary and journalistic, you will find:

- a past exam question with **guided answers**, indications on how **marks are awarded** and suggestions on how to **maximise your marks**

- three further **sample questions** with **vocabulary aid** and **solutions**

REMEMBER:

1 **Read** the questions on the 'Leseverständnis' **first**. This will give you a good understanding of what the text is about.

2 Don't panic if you see a word or words that you don't understand. It is not always necessary to understand every word to have a good understanding of the text.

3 If a question is asked in English, answer in **English**. If a question is asked in German, answer in **German**.

4 Before you answer a question make sure that you have read it carefully and that you have chosen the **correct details**, **the correct number of details** and **the correct source (line number where given)**.

5 **Check** your answers carefully and make sure you have **included all the relevant details**.

Text I: Literary comprehension

Timing

You might spend about **30 minutes** on one comprehension passage. Do not underestimate the amount of time you need to **read** the passage.

Exam question: Guided answers

The following guided answers are based on Text I from the 2008 exam paper. The marks awarded for each question are in brackets.

Note: As the layout of the following text is different from the actual exam, the line references have been changed accordingly.

TEXT I: LESEVERSTÄNDNIS (60)

Tessa bemerkte den Mann zuerst. Er saß im Kulturcafé „Eiszeit" an der Bar, war etwa so alt wie ihr Vater, trug ein dunkelblaues Sportjackett und
5 eine graue Hose. Der Mann rauchte, nippte an seiner Tasse Kaffee und starrte die ganze Zeit auf zwei Handys, die vor ihm auf der Theke lagen. Vielleicht ein Geschäftsmann
10 aus einem der großen Bürohäuser der City, ein langweiliger Typ, genau das richtige Opfer für Tessas und Frederikas Mutprobe.*
Frederika spürte, wie ihr das Blut
15 ins Gesicht schoss. Ihr Herz fing an zu flattern, als sie in der linken Hosentasche des Mannes ein dickes Portemonnaie aus schwarzem Leder sah, das jeden Augenblick
20 herauszufallen drohte. Vorsichtig schaute sie sich nach allen Seiten um, dann wechselte sie mit Tessa einen schnellen Blick.
„Bleib bloß cool!", sagten Tessas
25 Augen. „Du siehst doch, es ist ganz einfach!" Tessa schlenderte zur Bar, stellte sich neben den Mann und bestellte einen Espresso Macchiato.
Frederika beeilte sich, ihr zu folgen.
30 Schwitzend vor Aufregung, mit zitternden Knien, blieb sie hinter dem Mann stehen, der sicher glaubte, dass ihm im Kulturcafé „Eiszeit", dem

Treffpunkt der feinen Gesellschaft,
35 bestimmt nichts passieren könnte.
Plötzlich dröhnten aus dem Handy des Mannes die Töne des Songs „All you need is love! All you need is love!" Und während der Mann hastig nach
40 seinem Handy griff, ließ Tessa mit Absicht die kleine Espressotasse aus der Hand fallen. Das Getränk ergoss sich über die Theke.
„Verdammt!", schrie der Mann, als
45 der braune Espresso von der Theke auf seine Hose tropfte. „Nein, Sie meine ich nicht!", brüllte er in sein Handy. „Jemand hat mir gerade Kaffee über die Hose geschüttet. Entschuldigen Sie bitte
50 vielmals!"
Er signalisierte Tessa mit wilden Armbewegungen, sie solle verschwinden, gleichzeitig telefonierte er weiter und versuchte, mit einem
55 Taschentuch die Kaffeeflecken auf seiner Hose zu entfernen. Der Mann veranstaltete ein solches Chaos um sich herum, dass er überhaupt nicht merkte, wie Frederika mit einem schnellen
60 Handgriff sein Portemonnaie aus seiner Hosentasche stahl. Hastig schob sie das Portemonnaie unter den Ledergürtel ihrer Jeans. Sie zitterte am ganzen Leib.
Auf dem Weg zum Ausgang fühlte
65 sich Frederika von allen Leuten im Café beobachtet. Sie hatte den Eindruck,

jeder im Café wüsste, was sie getan hatte, und fürchtete, dass im nächsten Augenblick Polizisten hereinstürmen
70 und sie festnehmen würden. Aufgeregt suchte sie nach Tessa. Doch Tessa hatte die Szene längst verlassen.

„Ich muss einfach mehr Mut haben!", dachte Frederika. „Ich
75 möchte so werden wie Tessa." Sie atmete ein paar Mal tief durch und war erleichtert, als sich die Anspannung in ihrem Körper und ihrem Inneren langsam löste.
80 Niemand im Café hatte den Diebstahl bemerkt, nicht einmal das Opfer an der Bar. Der Mann telefonierte immer noch, inzwischen mit beiden Handys gleichzeitig.
85 Tessa und Frederika hatten verabredet, sich kurze Zeit später in der nahegelegenen Städtischen Kunsthalle zu treffen, um ihre Beute* zu teilen. Um diese Uhrzeit war kaum
90 etwas los. Als Frederika ankam, sagte der freundliche Mann an der Kasse zu

ihr: „Deine Freundin lässt ausrichten, sie wartet oben auf dich."
Frederika bedankte sich, nahm ihre
95 Eintrittskarte und wollte gerade die Treppe hinaufgehen, als der Kassierer ihr noch nachrief: „Schön, dass ihr euch in eurem jungen Alter so für Kunst interessiert!"
100 Sie standen vor dem Bild „Die Taschenspieler" von Pablo Picasso, dem berühmten spanischen Künstler, im ersten Stock der Kunsthalle. Auf Picassos Bild waren ein massiger Mann in einem
105 roten Kostüm und sein kleiner Sohn zu sehen. Die beiden Taschenspieler zauberten den Leuten mit Tricks ihr Geld aus der Tasche. „Genau so haben wir es eben auch gemacht, vielleicht sogar
110 noch besser!", grinste Tessa.

Nach MARGRET STEENFATT,
Mit aller Gewalt

* **Mutprobe**   *test of courage*
Beute   *booty*

Beantworten Sie Frage 1(a), (b), (c) und (d) auf Deutsch. Schreiben Sie **nicht** direkt vom Text ab, sondern formulieren Sie Ihre eigenen Sätze (see guided answers on page 51).

1. (a) Beschreiben Sie, in Stichworten, den Mann an der Bar im Kulturcafé „Eiszeit"!
   (**Zeile 1–12**)

   Aussehen: . . . .

   Beruf: . . . .

   Weitere Informationen: . . . .
   . . . .
   . . . .

   (b) Wie wurde der Mann beim Telefonieren gestört? (**Zeile 39–46**)
   . . . .
   . . . .

   (c) Wo genau treffen sich nachher Tessa und Frederika? Nennen Sie **zwei** Details!
   (**Zeile 85–103**)
   . . . .
   . . . .

(d) Wie verhält sich der Mann an der Kasse gegenüber Frederika? (Zeile 90–99)

....

....

Answer Questions 2, 3 and 4 in English.

2. (a) What happens when the man's mobile phone suddenly rings? (lines 36–46)

....

....

(b) Describe the man's reaction to what Tessa did. Give **four** details. (lines 44–56)

....

....

....

....

3. (a) In order to get what they want, Tessa and Frederika have to work hand in hand. Give details. (lines 20–61)

....

....

(b) Why do Tessa and Frederika meet in an art gallery? Give **two** reasons. (lines 85–110)

....

....

4. **Read Text I again.** In this story, the author creates two main characters, and portrays one as being more confident and forward than the other. How does the author establish this? Give **three** examples. (Can be **language use** and/or **content**.)

....

....

....

TEXT I: ANGEWANDTE GRAMMATIK (25) (See guided answers pages 100–103).

1. Sie sehen unten fünf Sätze, in denen **Substantive (Nomen)** <u>unterstrichen</u> sind. Sehen Sie sich das Beispiel an. Geben Sie nun für die **anderen vier** Substantive an:

   - ob Singular oder Plural
   - bei Singular das Geschlecht (Femininum, Maskulinum, Neutrum)
   - den Fall (Nominativ, Akkusativ, Dativ, Genitiv)

Beispiel

(1) Er war etwa so alt wie ihr <u>Vater</u>.
   Vater: Singular, Maskulinum, Nominativ
(2) Er war vielleicht ein Geschäftsmann aus einem der großen <u>Bürohäuser</u>.
(3) Sie sah ein dickes <u>Portemonnaie</u> aus schwarzem Leder.
(4) Er glaubte, dass ihm im „Café Eiszeit", dem <u>Treffpunkt</u> der feinen Gesellschaft, nichts passieren würde.
(5) Niemand hatte den Diebstahl bemerkt, nicht einmal das <u>Opfer</u>.

2. Bilden Sie **Relativsätze** mit dem jeweils richtigen Relativpronomen wie im Beispiel!

Beispiel

Der Mann hatte zwei Handys. Er hatte sie auf die Theke gelegt. → Der Mann hatte zwei Handys, die er auf die Theke gelegt hatte.

(1) Frederika sah ein Portemonnaie. Es war aus schwarzem Leder.
   Frederika sah ein Portemonnaie, ...
(2) Tessa bestellte einen Espresso. Sie blieb ganz cool.
   Tessa, ..., blieb ganz cool.
(3) Frederikas Knie zitterten. Sie war aufgeregt.
   Frederika, ..., war aufgeregt.
(4) Der Mann hatte ein Taschentuch. Er reinigte seine Hose damit.
   Der Mann hatte ein Taschentuch, ...
(5) Sie standen vor dem Bild. Das Bild hing an der Wand.
   Sie standen vor dem Bild, ...

Having read the questions, read through the text. Then look at the questions individually, paying close attention to the **line indications**.

As you carefully **re-read** the lines, be careful to **extract** the correct information. In other words, do not give irrelevant information just because it is between the lines!

Note: Stroke (/) indicates alternatives. Information within round brackets ( ) is correct but not essential for marks.

If you do not answer in the **language specified**, you will lose marks, even if the information is correct.

Often the dominant tense of narrative fiction written in the past is the **imperfect** (*Präteritum*). It is important to revise and be familiar with verbs in this tense. Refer to list of verbs on pages 111–113.

Question 1 is in **German.** Do as instructed: 'Bitte schreiben Sie **nicht** direkt vom Text ab, sondern formulieren Sie Ihre eigenen Sätze'. Do not copy word for word from the text. Write your own sentences.

When you answer questions in German, it is very important that you manipulate the language. To take a simple example, if you are asked 'Wo wohnte die Frau?' and you find the answer in a text thus: 'Ich wohnte bei meinen Eltern', you must answer '**Sie** wohnte bei **ihren** Eltern.'

1 (a) You are asked to describe, in 'key words' (*in Stichworten*), the man at the bar in the 'Eiszeit' café. The information is between lines 1 and 12. Note that the information is required under two categories: 'Aussehen' (*appearance*) and 'Beruf' (*career*). There are three details regarding his appearance and one regarding his profession.
Answer: Aussehen – dunkelblaues Sportjackett, graue Hose, so alt wie Tessas Vater (any two, 2 marks); Beruf – Geschäftsmann (1 mark).
As you can see, the answer is short, to the point and a minimum of manipulation of text is required. For the sake of clarity, 'ihr Vater' becomes 'Tessas Vater'. Let's move on!

You are also asked for 'weitere Informationen' (*further information*). How much information? The question does not specify. You can assume that about **three** pieces of information would suffice. In cases such as these, you would do well to give as much information as you can if you have the space and the time. Then if you give some wrong information, you may still get full marks.
Answer: Er rauchte, er hatte zwei Handys, er trank Kaffee, er war langweilig, er war genau das richtige Opfer (five pieces of information). **(any three, 3 marks)**

(b) You are asked how the man was disturbed when he was on the phone. Go directly to the relevant lines (39–46) and re-read them carefully. Tessa deliberately (*mit Absicht*) dropped her cup of coffee and it spilled over the man's trousers.
Answer: Tessa ließ den Kaffee fallen. (2 marks)
Der Kaffee fiel auf die Theke und tropfte auf seine Hose. (2 marks)

(c) You are asked where exactly (*wo genau?*) Tessa and Frederika meet up afterwards (lines 85–103). Once again, extract the relevant information. **Two** details are required. Give more if you can, so that you are covered. Three significant pieces of information are given regarding **where** and no other information is required. They had arranged to meet in the 'Kunsthalle' (*art gallery*) (line 88) in front of the Picasso drawing on the first floor.

Answer: **in der (Städtischen) Kunsthalle, im ersten Stock, vor dem Picasso-Bild „Die Taschenspieler".** (any two, 4 marks)

(d) You are asked how the man behaves (*sich verhält*) towards Frederika. He was friendly towards her. He told her that her friend was waiting for her upstairs. He also commented favourably on the fact that the girls were interested in art at their young age.

Answer: **Er ist freundlich und hilfsbereit. Er findet es schön, dass sie sich für Kunst interessieren.** (any one, 4 marks)

Now to the questions in **English**. These are often the more testing as they require a good knowledge of vocabulary. You must be able to translate or interpret the words in your own language.

2 (a) You are asked what happens when the man's mobile phone suddenly rings (lines 36–46). Without knowing every word, you can make out the gist of what happens. Most of the words in this short paragraph would be within your range of vocabulary. Others you could guess, e.g. 'hastig' (*hastily*). 'Mit Absicht' (*intentionally*) might not be known. From your overall comprehension of what is going on, you might guess, but don't panic if you don't. It is not essential for the answer.

Answer: The man reaches for his mobile. Tessa drops her cup (deliberately). The coffee spills on to the counter and on to the man's trousers. (any two, 6 marks)

(b) **Four** details are required here to describe the man's reaction (lines 44–56). There are five details that you could give and once again the advice given above applies equally here: some vocabulary is easy to work out, e.g. 'Verdammt', 'mit wilden Armen', 'Kaffeeflecken'.

Answer: The man shouted 'damn'./He swore. He apologised to the caller, explaining that he did not mean him/her. He explained to the caller what had happened regarding the coffee. He (impatiently) signalled to Tessa to go away. He tried to wipe off the coffee stains with a handkerchief. (any four, 8 marks)

3 (a) In order to get what they want, Tessa and Frederika have to work hand in hand. Give details (lines 20–61). A large section of text has to be re-read here, but don't worry! Some of it has already been dealt with in previous questions and is familiar to you. Three important details are to be found here.

Answer: Tessa communicates with her eyes to reassure Frederika./Tessa's eyes say to Frederika: "Stay cool!" Both girls go to the bar/approach the victim. Tessa distracts the victim by intentionally spilling coffee on him, while Frederika steals his wallet from his trouser pocket. (**any two, 4 marks**)

(b) Now you have to work out **why** Tessa and Frederika meet in an art gallery (lines 85–110). Line 87 gives you the first clue: 'nahegelegenen'. Work it out from 'nah'! It means 'nearby'. Lines 89–90 reveal that 'um diese Uhrzeit war kaum etwas los.' (*There wasn't much going on at this time.*) You have got your two reasons and full marks. Two further details are relevant: 'um ihre Beute zu teilen' and perhaps you will spot the irony at their choice of drawing 'Die Taschenspieler' – pickpockets!

Answer: It was nearby. It was quiet./There was not much going on at this time. They wanted to divide their booty/money. The Picasso drawing depicts pickpocketing, which is exactly what they did. (**any two, 12 marks**)

4 This question requires a **broad understanding of the text**. You have already dealt in some detail with the content as you answered the other questions, and this question should not cause any anxiety. You are asked to contrast the two main characters in the story. One is portrayed as being more confident and forward than the other. How does the author establish this? **Three examples are required and they can be language use** or **content**. There are lots to choose from, so don't panic if you do not understand every word. We have already established a relevant detail in a previous question. Who reassured whom with her eyes? Tessa was the one who did this and was the more confident, the braver of the two. Who was daring enough to deliberately spill the coffee on the stranger? Tessa. These details have already emerged in your answers and should help you. Do read through the text again and find further examples.

Answer:

Content: Tessa selected the victim. She was the first to notice him. Tessa went to the bar first and Frederika followed. Tessa reassured Frederika with her eyes. Tessa moved with confidence to the bar and coolly ordered her coffee while Frederika hurried behind her. Tessa created the distraction by deliberately spilling the coffee on the man.

Frederika was nervous. Lines 14–16: she felt the blood rushing to her face and her heart was fluttering. Lines 30–31: she was sweating and her knees were shaking.

Frederika felt that she was being watched as she left the café. She thought that everyone there knew what they had done and that the police would come and arrest them (lines 64–70). Frederika says to herself (line 73) "I simply must have more courage ... like Tessa." Tessa had left a message at the art gallery for Frederika. Tessa compared them to the characters in the picture (the pickpockets) and grinned. She boasted: "That's what we did, maybe even better!"

Language: Tessa – schlenderte (*strolled*), cool/einfach.
Frederika – beeilte sich (*hurried*) zu folgen, schwitzend (*sweating*), mit zitternden Knien (*trembling knees*), vor Aufregung (*with excitement*), Blut schoss ihr ins Gesicht (*blood gushed to her face*), Herzflattern (*heart fluttering*). (**any three, 12 marks**)

As you can see, there is a wide choice of examples to contrast the two characters. You need only three of the above to gain full marks. But you would do well to give a few extra, if you have the time. In that way, if you get one or two wrong, you may still get full marks.

As you see, it is well worth the time you spend **reading** the comprehension passages. Accurate information is rewarded. **More marks are awarded for this section than for any other section of the written paper.**

Now **test yourself** with further sample comprehension questions. Then check your answers. The pages with the solutions are **clearly indicated**. Vocabulary is given at the end of each passage to help you along the way.

Sample literary comprehension questions

The text is an extract from a literary work. Questions are asked in German and English and these are clearly indicated. **Question 4** is an in-depth question, which requires close examination of the whole text.

Sample question 1

(Solutions on pages 85–87)

TEXT I: LESEVERSTÄNDNIS (60)

Ich ging durch die Straßen des Viertels, schmale baumlose Straßen. Hier wohnten früher Hafen- und Werftarbeiter. Inzwischen waren die
5 Häuser renoviert und die Wohnungen – die City ist nicht weit – luxuriös ausgestattet worden. In den früheren Milch-, Kurzwaren- und Kolonialwarenläden hatten sich
10 Boutiquen, Coiffeurs und Kunstgalerien eingerichtet.

Nur das kleine Papierwarengeschäft von Herrn Zwerg gab es noch. In dem schmalen Schaufenster stand inmitten
15 von angestaubten Zigarren-, Zigarillo- und Stumpenkisten ein Mann mit Tropenhelm, in der Hand hielt er eine lange Pfeife.

Ich fragte Herrn Zwerg, ob Frau
20 Brücker noch lebe, und wenn, wo.

Was wollen Sie denn, fragte er mit geballtem Misstrauen. Der Laden ist schon vermietet.

Ich erzählte ihm, als Beweis dafür,
25 dass ich ihn von früher her kenne, wie er einmal, es muss 1948 gewesen sein, auf einen Baum gestiegen sei; der einzige Baum hier in der Gegend, der nicht in den Bombennächten
30 abgebrannt oder später nach dem Krieg zu Brennholz zersägt worden war. Es war eine Ulme. Auf die war eine Katze vor einem Hund geflüchtet. Sie war hoch und immer höher
35 gestiegen, bis sie nicht mehr zurückklettern konnte. Eine Nacht hatte sie im Baum gesessen, auch den folgenden Vormittag noch, dann war Herr Zwerg, der bei den Sturmpionieren
40 gedient hatte, unter den Augen vieler Neugieriger dem Tier nachgestiegen. Die Katze war aber vor ihm höher und noch höher in die Baumkrone geflüchtet, und plötzlich saß auch Herr
45 Zwerg hoch oben im Baum und konnte nicht mehr heruntersteigen. Die Feuerwehr musste kommen und holte mit einer Leiter beide, Herrn Zwerg und die Katze, aus dem Baum. Meiner
50 Erzählung hatte er schweigend zugehört. Er drehte sich um, nahm sein linkes Auge heraus und putzte es mit einem Taschentuch. Das waren Zeiten, sagte er. Er setzte sich das Auge wieder ein
55 und schnupfte sich die Nase aus. Ja, sagte er schließlich, ich war überrascht, als ich so weit oben saß, konnte von oben die Distanz nicht recht abschätzen.

Er war von den alten Bewohnern der
60 letzte in dem Haus. Vor zwei Monaten hatte ihm der neue Hausbesitzer eine Mieterhöhung angekündigt. Die war nicht mehr bezahlbar. Würd ja noch weitermachen, auch wenn ich nächstes
65 Jahr achtzig werd. Kommt man so ja unter die Leute. Rente? Schon. Verhungern kannste nich* davon, aber leben auch nich. Jetzt kommt hier ne Vinothek rein. Dachte zuerst, is* so was
70 wie n Musikgeschäft. Frau Brücker? Nee, is* schon lange weg. Die is* bestimmt schon nicht mehr.

Ich habe sie dann doch noch getroffen. Sie saß am Fenster und

75 strickte. Die Sonne schien abgemildert
durch die Stores. Es roch nach Öl,
Bohnerwachs* und Alter. Unten im
Empfang saßen rechts und links an
den Korridorwänden viele alte Frauen
80 und ein paar alte Männer,
Filzhausschuhe an den Füßen,
orthopädische Manschetten an den
Händen, und starrten mich an, als
hätten sie seit Tagen auf mein
85 Kommen gewartet. 243 hatte mir der
Pförtner als Zimmernummer gesagt.
Ich war zum Einwohnermeldeamt
gegangen, dort hatte man mir ihre
Adresse gegeben, ein städtisches
90 Altersheim in Harburg.
    Ich habe sie nicht wiedererkannt.
Ihr Haar war, schon als ich sie zuletzt
gesehen hatte, grau, aber jetzt war es
dünn geworden, ihre Nase schien
95 gewachsen zu sein, auch das Kinn.
Das früher leuchtende Blau ihrer
Augen war milchig. Allerdings waren
ihre Fingergelenke nicht mehr
geschwollen.
100   Sie behauptete, sich deutlich an mich
erinnern zu können. Kamst als Junge
auf Besuch, nich, und hast bei der Hilde
iner Küche gesessen. Später warst
manchmal am Imbissstand. Und dann
105 bat sie mich, mein Gesicht anfassen zu
dürfen. Sie legte das Strickzeug aus den
Händen. Ich spürte ihre Hände, ein
flüchtig tastendes Suchen. Zarte, weiche
Handflächen. Die Gicht* is weg, dafür
110 kann ich nix mehr sehen.

UWE TIMM, *Die Entdeckung
der Currywurst*

* kannste nich = kannst du nicht
is = ist
Bohnerwachs *floor polish or wax*
Gicht *gout*

Vocabulary

ausstatten *to provide/furnish*	die Rente *pension*
einrichten *to furnish*	Stores (mpl.) *curtains*
geballt *unmitigated/concentrated*	die Manschetten (fpl.) *cuffs*
das Misstrauen *mistrust*	das Einwohnermeldeamt *residents'*
die Leiter *ladder*	*registration office*
abschätzen *to estimate*	sich erinnern an *to remember*
die Mieterhöhung *rent increase*	

Beantworten Sie Frage 1(a), (b), (c) und (d) auf Deutsch.

1. (a) In diesem Text besucht der Erzähler ein Viertel, das er früher als Kind kannte.
        Wie hat sich inzwischen das Viertel verändert? Nennen Sie drei Details.

(Zeile 1–11)

....
....
....

(b) Welches Geschäft und welche Person hat der Erzähler gleich erkannt?

(Zeile 12–20)

....

....

(c) Warum gab es nach dem Krieg nur einen einzigen Baum in der Gegend? Nennen Sie **zwei** Gründe. (**Zeile 28–32**)

....

....

(d) Warum war Herr Zwerg auf diesen Baum gestiegen? (**Zeile 32–42**)

....

....

Answer Questions 2, 3 and 4 in English.

2. (a) What effect did the narration of the tree-climbing incident have on Herr Zwerg? Mention **two** details. (**lines 49–58**)

....

....

(b) Describe, giving **two** details, the financial hardship suffered by Herr Zwerg. (**lines 60–68**)

....

....

3. (a) Describe, with **four** details, the narrator's impression or observation of the old people's home in Harburg. (**lines 73–85**)

....

....

(b) Mention **four** changes the narrator noticed in Frau Brücker since he had seen her last. (**lines 91–99**)

....

....

4. In the story the author creates an atmosphere of nostalgia and sadness. Read through the text again and give **four** examples of how the author achieves this. You may refer to language use or content.

....

....

....

....

TEXT I: ANGEWANDTE GRAMMATIK (25)

1. (a) Setzen Sie bitte in den Text unten jeweils das richtige **Relativpronomen** ein.

> Der Erzähler ging durch die Straßen, **(1) die** er von früher kannte. Die Läden, in **(2)**
> .... früher Kurzwaren und Kolonialwaren verkauft wurden, waren jetzt
> Boutiquen und Kunstgalerien. Der Erzähler erkannte den Mann, **(3)** ....
> das Papierwarengeschäft besaß. Die Geschichte, **(4)** .... er erzählte,
> machte Herrn Zwerg traurig. Herr Zwerg erinnerte sich an den Baum, auf **(5)**
> .... er einmal gestiegen war. Die Frau, nach **(6)** .... der
> Erzähler fragte, wohnte nicht mehr im Haus.

(b) Geben Sie nun an:

    (i) den Fall (Nominativ, Akkusativ, Dativ, Genitiv)
    (ii) ob Singular oder Plural
    (iii) bei Singular das Geschlecht (Femininum, Maskulinum, Neutrum)

Beispiel
(1) die: Akkusativ, Plural
(2) ....
(3) ....
(4) ....
(5) ....
(6) ....

2. (a) Ergänzen Sie folgende Sätze. **Die Sätze sollen den Inhalt des Textes widerspiegeln.**

Beispiel
Herr Zwerg stieg auf den Baum, aber *er konnte nicht heruntersteigen.*

(1) Herr Zwerg klagte über die Mieterhöhung, die ....
....

(2) Der Erzähler ging zum Altersheim, um ....
....

(3) Der Erzähler sah Frau Brücker und merkte, dass ....
....

(4) Frau Brücker erinnerte sich an den Erzähler, der ....
....

(5) Frau Brücker wollte das Gesicht des Erzählers anfassen, weil ....
....

(b) Im Text benutzt der Autor **indirekte Rede und Fragen**. Im Beispiel unten wurde ein Satz in **direkte Rede** umgeschrieben.

Beispiel
Ich erzählte ihm ... wie er einmal, es muss 1948 gewesen sein, auf einen Baum gestiegen **sei**. (**Zeile 24–27**) → Ich erzählte: „Sie **sind** einmal, es muss 1948 gewesen sein, auf einen Baum gestiegen."

Schreiben Sie jetzt den Satz unten in eine direkte Frage um.

Ich fragte Herrn Zwerg, ob Frau Brücker noch **lebe**. (**Zeile 19–20**)
Ich fragte Herrn Zwerg: „. . . . . ?"

Sample question 2

(Solutions on pages 88–89)

TEXT I: LESEVERSTÄNDNIS (60)

> **Drei junge Männer werfen mit Steinen und Yildiz sagt zu Hause nicht die Wahrheit**

Der erste Stein flog vorbei. Der zweite traf sie am Hals. Der dritte Stein schlug eine große Fensterscheibe kaputt. Yildiz rannte, bis sie keine Luft mehr hatte. Wer sind die
5 Männer, die mit Steinen nach mir geworfen haben?, dachte sie. Die drei mit den Glatzköpfen? Yildiz sah sich um. Nein, die drei sind in eine andere Richtung gelaufen. Gott sei Dank.
10 Yildiz fasste sich an den Hals. An ihrer Hand war Blut. Sie presste ein Papiertaschentuch auf die kleine Wunde. Was wollten die Kerle von mir?, dachte sie. Warum haben die gerade mich mit Steinen
15 beworfen? Sehe ich anders aus als andere Mädchen? Sie hatte dunkelbraunes langes Haar und trug Jeans und Turnschuhe wie andere Mädchen. Ich kenne die Glatzköpfe doch gar nicht, dachte sie.
20 Yildiz versuchte ruhig zu werden. Wenn sie nach Hause kam, wollte sie nicht gefragt werden, was passiert war. Nicht von ihren Eltern und schon gar nicht von ihrem Bruder Murat. Der sagte sowieso bei
25 jeder Gelegenheit: Bleib unter unseren Leuten. Für die Deutschen bist du nur Ausländerin.
Wussten die drei, dass sie Türkin war? Von wem? Von Markus' Bruder Ben etwa? Sie
30 sprach so gut Deutsch wie jeder andere Deutsche, war in dieser kleinen Stadt geboren, ging aufs Gymnasium und alle riefen sie nur Yil. Sie überlegte, was sie zu Hause sagen sollte. Auf keinen Fall durfte ihre Familie
35 wissen, dass man sie mit Steinen beworfen hatte. Ihre Eltern würden sie nie mehr allein aus dem Haus lassen. Und Murat würde mit seinen Freunden tagelang durch die Stadt ziehen und jeden zusammenschlagen, der
40 seinen Kopf kahl geschoren hatte. Murat dachte immer, er als großer Bruder müsse sie beschützen. Dabei war er erst achtzehn, nur zwei Jahre älter als sie.
Nein, sie würde zu Hause einfach sagen,
45 dass sie beim Volleyballspielen mit Ulrike zusammengestoßen sei und Ulrike sie mit ihren langen Fingernägeln am Hals gekratzt habe. Ulrike ist ihre beste Freundin. Auf die

konnte sie sich verlassen, wenn jemand
50 danach fragte.

„Bist du es, Yili?" Durch die offene
Wohnzimmertür sah Yildiz, dass Besuch
da war, ein Freund ihres Vaters mit seiner
Frau. Sie sagte: „Hallo! Ich komme gerade
55 vom Sport, will mich nur noch schnell
duschen!" In ihrem Zimmer betrachtete sie
vor dem Spiegel den kleinen Kratzer am
Hals. Es war eigentlich gar nicht schlimm.
Yildiz dachte wieder: Die haben bestimmt
60 nicht mich persönlich gemeint. Ich kenne
die doch gar nicht. Trotzdem würde sie
nicht darüber reden, auch nicht mit
Markus, ihrem Freund.

Sie wusste, wie Markus über Skins und
65 Rechtsradikale dachte. Der würde doch
glatt ausrasten. Ob die Typen wussten,
dass sie oft mit Markus zusammen ist?

Yildiz ging ins Bad und duschte lange.
Sie musste etwas von sich abspülen:
70 Angst, Scham, Hilflosigkeit. Darüber
konnte sie nicht einmal mit Ulrike reden.
Die würde nur sagen: Solche blöden
Typen gibt's überall. Mach dir nichts draus,
Yil.
75   Yildiz ging ins Wohnzimmer hinunter,
um die Gäste zu begrüßen. Der Freund
ihres Vaters erzählte gerade vom Urlaub in
der Türkei. Sie hatten von dem Geld, das
sie in Deutschland gespart hatten, in
80 Anatolien ein Grundstück gekauft. Darauf
wollten sie ein Haus bauen. Auch die
Eltern von Yildiz wollten das so machen,
wenn sie später einmal in die Türkei
zurückkehrten.

85   Yildiz erschrak, als sie die Stimme ihres
Vaters hörte: „Hast du keinen Hunger,
Töchterchen? Iss doch was!" Serdal Toluk
war stolz auf seine Tochter. „Ich habe nicht
viel Hunger", sagte sie und nahm nur etwas
90 Obst. Plötzlich sah ihr Vater die Wunde am
Hals. „Was ist passiert, Töchterchen?", fragte
er. Yildiz wurde nicht einmal rot, als sie ihre
Geschichte vom Volleyballspielen erzählte.
Ein Glück, dass sie sich dies vorher
95 ausgedacht hatte.

An diesem Abend ging Yildiz bald in ihr
Mansardenzimmer. Sie nahm ein Buch und
versuchte zu lesen. Aber sie konnte sich
nicht konzentrieren. Dann hörte sie, wie die
100 Eltern die Gäste verabschiedeten. Schnell
löschte sie das Licht. Gleich würde Mama
hochkommen und fragen, was los gewesen
war. Aber sie würde auch ihr nichts sagen.
Leise öffnete Fatma Toluk die Tür. Yildiz
105 rührte sich nicht. Sie atmete auf, als die
Mutter wieder aus dem Zimmer ging. Morgen
fragte Mama vielleicht nicht mehr.

Yildiz liebte ihre Mutter sehr. Die hatte ihr
einmal erzählt, wie schwer der Anfang in
110 Deutschland für die Eltern gewesen war.
Fatma Toluk war damals noch sehr jung
gewesen, hatte kein Wort Deutsch
verstanden und oft Angst vor dem fremden
Land gehabt. Das Heimweh brannte in ihr
115 wie Feuer.

Yildiz zog die Decke über den Kopf und
weinte. Sie fühlte sich plötzlich so einsam,
hilflos und klein.

Nach ISOLDE HEYNE, *Yildiz heißt Stern*

Vocabulary

der Kerl *fellow, chap*	kahl *bald*
die Gelegenheit *opportunity*	scheren (schor, geschoren) *to shave, cut*
zusammenschlagen *to beat up*	die Scham *shame*

Beantworten Sie Frage 1 (a), (b), (c) und (d) auf Deutsch.

1. (a) Was ist passiert, als Yildiz nach Hause ging? Geben Sie **vier** Details an.

(Zeile 1–12)

....

....

....

....

(b) Geben Sie **vier** Gründe an, warum Yildiz sich wie eine Deutsche fühlte.

(Zeile 15–18, 29–33)

....

....

....

....

(c) Warum durfte ihre Familie von dem Steinewerfen nichts wissen? Geben Sie **zwei** Gründe an. (**Zeile 34–42**)

....

....

(d) Was wollten die Eltern von Yildiz später machen, wenn sie in die Türkei zurückkehrten? (**Zeile 78–84**)

....

....

Answer Questions 2, 3 and 4 in English.

2. (a) How did Yildiz plan to explain the wound on her neck and why was she confident she would get away with it? (**lines 44–50**)

....

....

(b) Describe **four** of the feelings Yildiz was experiencing and explain **why** she had these feelings. (**lines 59–74**)

....

....

....

....

3. (a) Show with **two** examples from the text how Yildiz tried to avoid talking about the incident with her mother. (**lines 100–106**)

....

....

(b) What had life been like for Fatma Toluk when she first came to Germany? Give
four details. (lines 108–115)

. . . .

. . . .

. . . .

. . . .

4. Read through the text again. How would you describe the relationship Yildiz had
with each member of her family? Give **two** details in **each** case.

. . . .

. . . .

. . . .

. . . .

TEXT I: ANGEWANDTE GRAMMATIK (25)

1. Sie sehen unten sechs Sätze, in denen **Verben** <u>unterstrichen</u> sind. Sehen Sie sich das
Beispiel an. Geben Sie nun für die **anderen fünf** Verben an:

- den Infinitiv des Verbs
- die Zeitform (Präsens, Perfekt etc.)
- ob Singular oder Plural

Beispiel

(1) Der erste Stein <u>flog</u> vorbei.
  flog: fliegen, Imperfekt/Präteritum, Singular
(2) Der zweite Stein <u>traf</u> sie am Hals.

. . . .

(3) Ulrike <u>ist</u> ihre beste Freundin.

. . . .

(4) Die <u>haben</u> bestimmt nicht mich <u>gemeint</u>.

. . . .

(5) Yildiz <u>ging</u> ins Wohnzimmer.

. . . .

(6) Die Mutter <u>war</u> damals sehr jung <u>gewesen</u>.

. . . .

2. Sie finden im Kasten unten **sechs Adjektive**. Setzen Sie diese Adjektive mit den
entsprechenden Endungen in den Text ein! Die Sätze sollen den Inhalt des Textes
widerspiegeln. Benutzen Sie jedes Adjektiv **nur einmal**!

| türkisch | fremd | neu | deutsch | älter | schwer |

Yildiz war ein **(1)** türkisches Mädchen. Sie hatte einen **(2)** .... Bruder, der Murat hieß. Sie ging auf eine **(3)** .... Schule. Ihre Mutter erzählte ihr von der Ankunft der Eltern in Deutschland. Sie hatten einen **(4)** .... Anfang. Es war gar nicht leicht, sich an das **(5)** .... Land zu gewöhnen. Sie wollten eines Tages ein **(6)** .... Haus in der Türkei bauen.

Sample question 3
(Solutions on pages 89–91)

TEXT I: LESEVERSTÄNDNIS (60)

Die Einbahnstraße

Der Juni dieses Jahres war ein besonders heißer Monat. Für Andy und mich in zweierlei Hinsicht: erstens das Wetter, zweitens die Furcht, die
5 neunte Klasse wiederholen zu müssen. Andy stand in Mathe und Chemie, ich in Englisch und Französisch auf Fünf. Nur Herbert – Notendurchschnitt 1,7! – hatte keine Sorgen. Sorgte er sich,
10 dann um Andy und mich. Er versuchte uns mit durchzuziehen. Er lernte mit uns. Jeden Nachmittag.
Es war so heiß, dass Herbert, Andy und ich uns einen Platz suchten, wo
15 wenigstens ab und zu einmal ein Lüftchen wehte. Schließlich fanden wir auch einen: auf dem Dach des Hauses, in dem ich wohne. Wir breiteten Decken aus, um nicht auf
20 der heißen Dachpappe sitzen zu müssen, tranken eiskalte Cola, aßen Obst, rauchten, diskutierten und lernten.
Herbert ist schmal, kurzlockig und
25 blond. Seine Haut ist weiß. Nach dem ersten Tag auf dem Dach hatte er einen Sonnenbrand. Deshalb trug er ständig ein T-Shirt, auch wenn die Hitze noch so groß war.

30 Andy ist das Gegenteil von Herbert: schwarzhaarig, braun gebrannt, dunkle Augen. Er kommt an bei Mädchen, ist sehr sensibel, träumt viel.
Ich bin der Graue. Nicht blass, nicht
35 braun, nicht blond, nicht dunkel – unauffällig bis zum Nichtvorhandensein.
Die ganze Stadt litt unter der Hitze.
Die, die einen Garten besaßen, waren aufgerufen, die Rasenflächen nicht zu
40 sprengen. Sie machten es trotzdem. Nachts. Die Wiese im Park war gelb, die Rasenquadrate der Gärten waren grün. Von unserem Dach aus war das gut zu erkennen.
45 An jenem Tag, an dem mein Bericht beginnt, lag ich im Schatten der Brandmauer, drehte mir eine Zigarette und blickte auf unsere Straße hinab. Eine endlose Autoschlange hatte sich gebildet,
50 der Verkehr war ins Stocken geraten; ein Möbelwagen versperrte den nachfolgenden Wagen den Weg. Die Möbelträger öffneten die Tür zur Ladefläche und begannen Stühle, Tische und Kisten abzuladen. Einige
55 PKW-Fahrer verloren die Geduld, sie stiegen aus ihren Autos und beschimpften die Möbelträger. Die arbeiteten weiter, als ginge sie der Ärger der Fahrer nichts an.

Ich wollte Andy und Herbert auf die
60 Szene aufmerksam machen, aber die
lagen bäuchlings auf der Decke und
blätterten in Andys Mathebuch.

Die Möbelfahrer luden ihr ganzes
Zeug aus. Geduldig ließen sie sich einen
65 Vogel nach dem anderen zeigen. Erst als
alles auf dem Bürgersteig stand, fuhr
der Möbelwagen weiter. Die PKW-
Fahrer stürzten zu ihren Autos zurück,
die Möbelträger lachten und begannen
70 die Möbel ins Haus zu tragen.

Ich drückte meine Zigarette aus und
wollte mich abwenden. Da fiel mein
Blick auf ein blondes Mädchen, das bei
den Möbelträgern stand. Es lehnte
75 neben dem Hauseingang. Ich behielt
das Mädchen im Auge, bis es im Haus
verschwand. Dann suchte ich die
Fenster des gegenüberliegenden
Hauses ab. Irgendwo hingen sicher
80 keine Gardinen, eine Wohnung musste
leer stehen. Ich fand die Wohnung; sie
gehörte zu einem Balkon im dritten
Stock. Nicht lange, und das Mädchen
stand auf diesem Balkon.

85 Es war blass, fast bleich und nicht
besonders hübsch. Es trug ein
langärmeliges Sweatshirt – trotz der
Hitze. Das Mädchen sah mich, wandte
sich ab und begann Blumenkästen in die
90 dafür vorgesehenen Halterungen zu
stellen. Dann nahm es einen Sack mit
Blumenerde und eine Schaufel und
verteilte die Erde in die Kästen. Dabei sah
es einmal kurz zu mir hoch. Ich grinste
95 und erwartete ein Lächeln. Das Lächeln
blieb aus.

Andy musste mitbekommen haben, dass
ich nicht ins Blaue hineinlächelte. Auf
einmal stand er neben mir. Das Mädchen
100 sah von mir weg und Andy an. Andy
lächelte, das Mädchen lächelte zurück.

Andy wandte keinen Blick von dem
Mädchen. Bis es den Balkon verließ.

Wir hatten bald Gelegenheit, die Neue
105 näher kennen zu lernen. Am Tag darauf
stand sie schon in unserer Klasse. Sie sah
immer noch so blass und müde aus. Ihr
108 Name war Inga Hoff.

KLAUS KORDON

Vocabulary

die Dachpappe *roofing felt*	der Möbelwagen *removal van*
unauffällig *inconspicuous*	abladen/ausladen *to unload*
das Nichtvorhandensein *absence*	bäuchlings *on one's front, face down*
die Brandmauer *fireproof wall*	

Beantworten Sie Frage 1(a), (b), (c) und (d) auf Deutsch.

1. (a) Warum hatten Andy und der Erzähler diesen Sommer Angst? (Zeile 1–7)

   ....

   ....

   (b) Vergleichen Sie die Noten der drei Jungen und geben Sie drei Details dazu an.
   (Zeile 6–9)

   ....

   ....

   ....

(c) Warum lernte Herbert mit den zwei anderen Jungen? (Zeile 8–12)

....

....

(d) Was wollten die drei Jungen zusammen machen und warum haben sie das Dach ausgesucht? (Zeile 11–23)

....

....

Answer Questions 2, 3, and 4 in English.

2. (a) From the rooftop the narrator looked down on the street. Why was there a traffic jam? Give **details**. (lines 48–54)

....

....

(b) How did some drivers show their impatience and what effect did it have? Give details. (lines 54–58, 63–70)

....

....

3. (a) What did the narrator observe about the girl on the balcony opposite? Give **four** details. (lines 85–93)

....

....

....

....

(b) How did the girl react to the two boys who sought her attention? (lines 93–101)

....

....

4. Read through the text again. That summer was very hot. Show, with **four** examples from the text, how the writer conveys the effect of the heat on the people and the neighbourhood. (Can be **language use** or **content**.)

....

....

....

....

TEXT I: ANGEWANDTE GRAMMATIK (25)

1. Sehen Sie sich die folgenden Sätze an. Geben Sie für jedes unterstrichene **Nomen** (**Substantiv**) das richtige **Pronomen** an.

    Beispiel
    Herbert war mit den zwei Jungen gut befreundet. Er lernte jeden Nachmittag mit **ihnen**.

    (1) Sie gingen auf das <u>Dach</u> des Hauses. . . . . schützte sie vor der Hitze.
    (2) Eine <u>Autoschlange</u> hatte sich gebildet. Der Junge beobachtete . . . . von oben.
    (3) Er sah einen <u>Möbelwagen</u> . . . . versperrte den Weg.
    (4) Der <u>Erzähler</u> lächelte das Mädchen an, aber sie ignorierte . . . .
    (5) Andy bemerkte, dass der <u>Erzähler</u> jemanden anlächelte. Auf einmal stand er neben . . . .

2. Schreiben Sie die folgenden Sätze, wie im Beispiel, in das **Präsens** um.

    Beispiel
    Andy **stand** in Mathe auf Fünf. Andy **steht** in Mathe auf Fünf.

    (1) Herbert trug ständig ein T-Shirt.
    . . . .
    (2) Die ganze Stadt litt unter der Hitze.
    . . . .
    (3) Die PKW-Fahrer verloren die Geduld.
    . . . .
    (4) Ich drückte meine Zigarette aus.
    . . . .
    (5) Das Mädchen war auf dem Balkon.
    . . . .

Text II: Journalistic comprehension

Exam question: Guided answers

The following guided answers are based on Text II from the 2009 exam paper. The marks awarded for each question are in brackets.

Note: As the layout of the following text is different from the actual exam, the line references have been changed accordingly.

TEXT II: LESEVERSTÄNDNIS (60)

Wild, wilder, Berlin: Wildtiere in der Großstadt

Kaum zu glauben, aber wahr

„In Russland will mir keiner glauben, dass es in Berlin Wildtiere gibt", so Zoya, eine 26-jährige Russin, die in
5 Berlin wohnt.

„Ich war abends noch bei einer Freundin. Ihre Nachbarn erzählten, sie hätten hier in Berlin-Charlottenburg schon Wildschweine gesehen. Ich
10 dachte: Unsinn! Als ich um 23 Uhr nach Hause gehen wollte, bekam ich einen Schock: Da waren sie, ein Rudel* von bestimmt vierzig Tieren. Sie blockierten die Straße. Ich hatte
15 schreckliche Angst, an ihnen vorbeizugehen, und musste die Nacht bei meiner Freundin schlafen."

Warum Berlin so attraktiv ist

Die von Zoya beschriebene Szene in
20 der Berliner Metropole ist keine Seltenheit. „Etwa 5000 bis 8000 Wildschweine leben hier", schätzt Marc Franusch vom Landesforstamt* Berlin. Tendenz steigend.
25 Wildschweine, aber auch Füchse und andere Wildtiere wandern aus den Wäldern des Umlandes immer weiter in die Berliner Innenstadt hinein. Als vor

einigen Jahren erstmals zwei
30 Wildschweine mitten in Berlin auf dem Alexanderplatz auftauchten, drangen sie in einen Kindergarten ein und sorgten für ein Verkehrschaos. Mittlerweile ist das Wildschwein zum Stadtschwein
35 geworden und produziert fast doppelt so viele Junge wie im Wald.

Warum lieben so viele Wildtiere das Leben in der Großstadt? Berlin verfügt über große Parks und Grünflächen in
40 jedem Stadtteil, über ein großes Netz an Flüssen, Kanälen, Seen und Teichen sowie eine imposante Waldfläche von 161 Quadratkilometern, zahllose Kleingärten, alte Friedhöfe und stillgelegte Bahnhöfe.
45 „Ein ideales Wohngebiet für Tiere", so Marc Franusch.

Viele Wildtiere haben sich an das Leben in der Großstadt gewöhnt. Das große Futterangebot in der Stadt ist
50 einfach zu attraktiv. Wildschweine finden in den Gärten und Parks jede Menge Komposthaufen, offene Mülltonnen, Essensreste, Blumenzwiebeln oder Fallobst. Füchse haben richtige Strategien
55 entwickelt und kommen genau an den Tagen, an denen der Müll abgeholt wird.

Weil viele Stadtbewohner die Tiere auch noch füttern, haben die Tiere ihre natürliche Angst vor Menschen total
60 verloren. Denn Tiere merken sich die Plätze, an denen sie gefüttert wurden, und sie kehren dahin zurück.

So gab es den Fall, dass 20 Wildschweine an einer Bushaltestelle

65 warteten: Es war sofort klar, die Tiere wurden dort gefüttert. Die Fahrgäste wollten jedoch aus Angst nicht aussteigen.

Wie man sich verhalten sollte

70 Doch besondere Vorsicht ist geboten, wenn Wildschweine Junge haben, die so genannten Frischlinge. Das musste ein Mann aus Berlin-Rahnsdorf schmerzlich lernen. Beim Spaziergang 75 begegneten er und sein Hund einem Muttertier mit Frischlingen. Als der Hund bellte, griff die Sau aus Mutterinstinkt an.

Der Mann musste ins Krankenhaus 80 eingeliefert werden. Also heißt die Verhaltensregel: Abstand halten! Wenn es doch zu einer Begegnung kommt, sollte man ruhig stehen bleiben und sich langsam zurückziehen.

85 Der Mensch muss lernen, mit den Tieren zu leben. Da viele natürliche Lebensräume der Tiere durch menschliche Intervention wie Straßenbau, Trockenlegung von Gebieten und 90 Begradigung von Flüssen zerstört worden sind, suchen sich die Tiere jetzt neue Lebensräume in den Städten. Die Natur holt sich in ihnen zurück, was ihr auf dem Land genommen wurde: einen Platz zum 95 Leben.

* Rudel   *pack*
* Landesforstamt   *federal forestry office*

Beantworten Sie Frage 1(a) und (b) auf Deutsch. Bitte schreiben Sie nicht direkt vom Text ab, sondern formulieren Sie Ihre eigenen Sätze!

1. (a) Was passierte der Russin Zoya, als sie abends spät nach Hause gehen wollte? (**Zeile 6–17**)

. . . .

. . . .

(b) Welche Gründe führen dazu, dass es besonders in Berlin so viele Wildtiere gibt? Geben Sie drei Gründe an. (**Zeile 37–46**)

. . . .

. . . .

. . . .

Answer Question 2 and Question 3 in English.

2. (a) What makes Berlin so suitable for wild animals? Give **three** details. (**lines 47–56**)

. . . .

. . . .

. . . .

(b) The wild animals should not be fed by the people of Berlin. Explain why.
(lines 57–68)

....

....

3. (a) When and why should one be **particularly** on one's guard against wild pigs?
(lines 70–84)
When? ....
Why? ....

(b) According to this article, wild animals are forced to leave their natural habitats.
Give **three** reasons why. (lines 85–95)

....

....

....

Beantworten Sie Frage 4 auf Deutsch.

4. **Was passt zusammen?**
Unten sehen Sie zwei Reihen von Satzhälften, die zusammen Sätze bilden, die auf
dem Inhalt von **Text II** basieren. Welche Satzhälften passen zusammen? Tragen Sie
die passenden Buchstaben zu den Zahlen im Kasten ganz unten ein. Jeder Buchstabe
passt nur einmal!

1. **Zoya bekam einen Schock,**	a. dass es in Berlin so viele Wildtiere gibt.
2. Ein Verkehrschaos brach aus,	b. um sich und seine Junge zu verteidigen.
3. Die Tiere leiden keinen Hunger	c. wegen des großen Futterangebotes in der Stadt.
4. Es ist kaum zu glauben,	d. mit denen sie ihr Überleben sichern.
5. Das Muttertier griff den Hund an,	e. **als sie das Rudel sah.**
6. Die Füchse entwickeln Strategien,	f. weil Wildschweine in der Innenstadt umherliefen.

1	e	2		3		4		5		6	

Having read the questions, read through the whole text. Then start work on the questions. As you approach each question, pay close attention to the **line indications**. The questions in German test not only your comprehension, but also your ability to express the correct information in German. Long quotations with extraneous information will be penalised, even if the required information is within your answers.

Note: Stroke (/) indicates alternatives. Information within round brackets ( ) is correct but not essential for marks.

Remember the instruction: 'Bitte schreiben Sie **nicht** vom Text ab, sondern formulieren Sie Ihre eigenen Sätze!' Do not copy directly from the text. Write your own sentences.

Let's start with the question in German.

1 (a) You are asked what happened to the Russian woman Zoya as she was returning home late in the evening (lines 6–17). Remember to retrieve the required information and do not write everything that is between the lines! It is helpful, however, to understand the background before you start to formulate the answer. She was at a friend's house (*bei einer Freundin*). Her neighbours (*ihre Nachbarn*) had told her that they had seen wild pigs in Berlin. Zoya thought this was nonsense (*Unsinn*). But on her way home, she got a shock. This is where your answer should begin. She did in fact see about 40 animals blocking the street and she was afraid to go past them. **Answer:** Sie sah ein Rudel von vierzig Tieren auf der Straße/Sie sah ungefähr vierzig Tiere auf der Straße. Sie bekam einen Schock. Sie hatte Angst, an den Tieren vorbeizugehen./Sie hatte furchtbare Angst, an ihnen vorbeizugehen. Sie musste die Nacht bei ihrer Freundin verbringen/Sie verbrachte die Nacht bei ihrer Freundin. (**any three, 6 marks**)

(b) Here you are asked to give **three** reasons why, in Berlin in particular, there are so many wild animals (lines 37–46). This short paragraph gives very clear reasons and ends by stating that Berlin is an ideal habitat for animals. You have more than three reasons to choose from and you would do well to give as many as you can. If you get one or two wrong, you may still get full marks.
Answer: Es gibt große Parks/Grünflächen in Berlin. Es gibt (viele) Flüsse/Seen/Teiche/Kanäle. Berlin hat einen großen Wald/einen Wald von

161 Quadratkilometern. Es hat viele Kleingärten. Es gibt alte Friedhöfe. Es gibt alte/unbenutzte/stillgelegte Bahnhöfe. (**any three, 6 marks**)

2 (a) What makes Berlin suitable for wild animals? **Three** details are required (lines 47–56). This paragraph follows directly the paragraph referred to for your last answer in German. The point is further developed here with reference to a lot of 'Komposthaufen' and other sources of food and the aforementioned parks and gardens. The food (*Futter*) is the attraction. Now for the details!

Answer: The large amount of available food attracts them. Compost heaps. Open rubbish bins. Flower bulbs. Fallen fruit. (**any three, 9 marks**)

(b) You have to explain why the wild animals should not be fed by the people of Berlin (lines 57–68). '… haben die Tiere ihre natürliche Angst vor Menschen total verloren'. This is the significant reason required in your answer. They have lost their natural fear of people: verloren (*lost*), Angst (*fear*), Menschen (*people*). The vocabulary is well within your range.

Answer: Because many of the town's inhabitants feed the animals, the animals have lost their natural fear of people. They remember the places where they were fed and they return there. Wild pigs were waiting at the bus stop and people were afraid to get off the bus. (**any two, 6 marks**)

3 (a) You are asked **when** and **why** you should be particularly on your guard against wild pigs (lines 70–84). The words 'Junge' and 'Mutterinstinkt' should help you out here as well as the story regarding the man who had to be brought to hospital.

Answer: When? – When the pigs have their young ones/babies/piglets with them. (**3 marks**); when a dog barks. (**3 marks**)

Why? – The wild pigs can attack. (**3 marks**) (A man was walking his dog when he came across a sow with her young ones. The dog barked and the sow attacked the man out of a natural maternal instinct. She was afraid for her young ones. The man had to go to hospital. One should stay calm and move back slowly.)

(b) Why are wild animals forced to leave their natural habitats? (lines 85–95) Once again, you come across vocabulary that is within your range. Some other words might need to be guessed at from your understanding of the context. 'Menschliche Intervention' should help you to make sense – human/man's intervention. 'Straßenbau' should be clear. 'Trockenlegung'? 'Trocken' means 'dry', so you could perhaps work out the meaning: 'laying dry' or 'draining'. 'Begradigung' is a bit trickier! But think of 'gerade' (*straight*) and it might help. You've probably got enough to give a complete answer anyway, but don't be afraid to guess words from the context. You could be right!

Answer: Many of the natural habitats of animals are being destroyed by man's/ human intervention. The building of roads. The draining of land. The straightening of rivers. (**any three, 9 marks**)

4   This is a 'language awareness' question. You must **match the sentence halves given.** Your knowledge and understanding of the text will help you here even if you find the structures difficult. You have read the text and answered the comprehension questions. The first one is done as an example. Now **make sense of the rest.** It is worth mentioning that these can be answered in any order. For example, number 5 might seem easier than number 2 to attempt first.

No. 2: Why was there traffic chaos? Because wild pigs were running around in the town centre. (f)

No. 3: Why do the animals not feel hunger? Because of the food they get in the town. (c)

No. 4: What is hard to believe? That there are so many wild animals in Berlin. (a)

No. 5: Why did the sow attack the dog? In order to defend herself and her young ones. (b)

No. 6: Why do foxes develop strategies? (Only one left!) To ensure their survival. (d)

1	e	2	f	3	c	4	a	5	b	6	d

(**5 x 3, 15 marks**)

Now **test yourself** with further sample comprehension questions. Then check your answers. The pages with the solutions are clearly indicated. Vocabulary is given at the end of each passage to help you along the way.

Sample journalistic comprehension questions

This text is in the style of a newspaper or magazine article. Questions are asked in German and English and these are clearly indicated. **Question 4** tests language awareness.

Sample question 1

(Solutions on pages 92–93)

TEXT II: LESEVERSTÄNDNIS (60)

DAS GESCHÄFT MIT DEM KAFFEE

Beliebter als Bier

Ob Cappucino, Café au Lait, Eiskaffee, Melange, Mokka oder eine ganz „normale" Tasse Kaffee – vom Teenager bis ins Seniorenalter wird Kaffee „heiß
5 geliebt". Es ist ein internationales Getränk, das in vielen Varianten zubereitet wird. Es rangiert selbst in Deutschland noch vor dem Bier. 1994 lag der jährliche Pro-Kopf-<u>Verbrauch</u>
10 bei 169 Litern und damit weit über dem Bier (144 Liter).
    Nach Erdöl ist Kaffee das wichtigste Ausfuhrprodukt der Länder der Dritten Welt und somit ein entscheidender
15 Wirtschaftsfaktor. Der Kaffeeanbau beschränkt sich überwiegend auf die tropischen Gebiete Süd- und Mittelamerikas, Afrikas sowie Süd- und Südostasiens, weil die empfindliche
20 Kaffeepflanze nur in frostfreien Regionen mit ausreichenden Niederschlägen <u>gedeiht</u>. Die jährliche Rohkaffee-Erzeugung schwankt seit

1980 zwischen 80 und 100 Millionen
25 Sack (zu je 60 kg). Davon <u>benötigen</u> die Kaffeeländer etwa 20 bis 22 Millionen Sack für ihren eigenen Bedarf, etwa 65 bis 80 Millionen Sack gehen in den Export.

Kaffeeernte auf der Finca
Für ihren Einsatz gegen
30 Großgrundbesitzer, die die Landarbeiter und Kleinbauern von ihrem Land vertreiben wollen, erhielt Rigoberta Menchu, eine Quiché-Indianerin aus Guatemala, den Friedensnobelpreis. Sie
35 erzählt von ihrer Arbeit auf einer der großen Kaffeeplantagen, einer „Finca" an der Küste.
    „Mit acht Jahren verdiente ich mein erstes Geld auf der Finca. Ich hatte
40 täglich 35 Pfund Kaffee zu pflücken und bekam dafür 20 Centavos (das sind ungefähr 15 Cent). Wenn ich die Menge nicht schaffte, musste ich am nächsten Tag für dieselben 20 Centavos
45 weiterarbeiten. Wenn man einmal sein Tagessoll nicht schaffte, blieb man unweigerlich mit seiner Arbeit zurück, immer mehr zurück, bis man zum Schluss vielleicht zwei ganze Tage <u>unentgeltlich</u>
50 nacharbeiten musste, um das Gesamtsoll zu erfüllen.
    Ich plagte mich jeden Tag aufs Neue, um meinen Eltern das Leben ein wenig zu erleichtern. Aber die Arbeit auf den Fincas
55 war nicht nur hart, die Arbeiter wurden

auch betrogen. Es gibt ein Büro auf der Finca, in dem die Menge, die jeder Arbeiter tagsüber geerntet hat, gewogen und notiert wird. Meine
60 Brüder – <u>gescheit</u> wie sie waren – hatten einmal herausgefunden, dass alle Gewichte gefälscht waren. Sie zeigten viel weniger an, als tatsächlich gepflückt worden war. Das passiert
65 überall. Vom ersten Tag an, wenn die Agenten in die Dörfer kommen und die Leute anheuern, werden wir wie Vieh behandelt."

Wer verdient?
Gemäß den verschiedenen
70 Produktionsschritten, die der Kaffee durchläuft (Anbau, Ernte, Verarbeitung, Transport und Verkauf) gibt es viele Interessengruppen und Faktoren, die den Kaffeepreis bestimmen. Beteiligt
75 sind u. a. Plantagenarbeiter, Saison- und Wanderarbeiter, Kleinbauern, Röstereien, Vertreter des Welt- und Einzelhandels, internationale <u>Konzerne</u>. Viele verdienen am Kaffee, aber in recht
80 unterschiedlicher Form. Bedingt durch die Struktur des Weltmarktes und die langen Vermarktungswege fallen die

Erlöse für die Kleinbauern bzw. für die Plantagenarbeiter sehr gering aus.

Fairer Handel – Eine Alternative?
85 In „Eine-Welt-Läden", aber auch in einigen üblichen Einzelhandelsgeschäften stößt man auf Kaffee-Päckchen mit dem Transfair-Siegel. Es handelt sich um „fair gehandelten" Kaffee, mit dem die
90 Lebensbedingungen vieler Kleinbauern in der Dritten Welt verbessert werden sollen. Es ist ein ganzes Bündel von Zielen, die die „Gesellschaft zur Förderung der Partnerschaft mit der Dritten Welt"
95 (Gepa) und der „<u>Verein</u> zur Förderung des Fairen Handels mit der Dritten Welt" (TRANSFAIR) damit anstreben:

– bessere Erträge für Kleinbauern und Handwerker und deren
100 Existenzsicherung gegenüber Konzernen
– Unterstützung ökologischer Anbauweisen
– Verbesserung der
105 Gesundheitsvorsorge

Die Grundidee ist nicht Hilfe, sondern Förderung der Selbständigkeit und
108 Gleichberechtigung.

Vocabulary

das Ausfuhrprodukt *export product*	behandeln *to treat*
die Erzeugung *production*	der Anbau *cultivation*
benötigen *to need*	die Verarbeitung *processing*
die Kaffeeernte *coffee harvest*	Vertreter (*mpl.*) *representatives*
der Einsatz *commitment*	der Einzelhandel *retail trade*
Großgrundbesitzer (*mpl.*) *large landowners*	Erlöse (*mpl.*) *proceeds*
unweigerlich *inevitable*	Lebensbedingungen (*fpl.*) *living conditions*
unentgeltlich *without pay*	die Förderung *support*
erleichtern *to relieve*	Erträge (*mpl.*) *yields/return*
betrogen *deceived*	die Unterstützung *support*
gescheit *clever*	die Gleichberechtigung *equal rights*
anheuern *to hire*	

Beantworten Sie Frage 1 auf Deutsch.

1. (a) Warum ist die Produktion von Kaffee so wichtig in der Welt von heute?
   Nennen Sie **vier** Details. (**Zeile 1–28**)

   . . . .
   . . . .
   . . . .
   . . . .

   (b) Warum wird Kaffee hauptsächlich in tropischen Gebieten angebaut?
   Geben Sie zwei klimatische Gründe an. (**Zeile 15–22**)

   . . . .
   . . . .

Answer Questions 2 and 3 in English.

2. (a) What did Rigoberta Menchu receive and why? (**lines 29–34**)

   . . . .
   . . . .

   (b) Describe, giving **three** details, the hardship endured and observed by the eight-
   year-old Rigoberta as she worked on a coffee plantation. (**lines 39–68**)

   . . . .
   . . . .
   . . . .

3. (a) Mention **four** interest groups or factors which determine the price of coffee.
   (**lines 69–78**)

   . . . .
   . . . .
   . . . .
   . . . .

   (b) What are the objectives of Third World associations such as Gepa and
   TRANSFAIR in their bid to help developing countries? (**lines 85–108**)

   . . . .
   . . . .

Beantworten Sie Frage 4 wie im Beispiel.

4. Im Text sind Wörter <u>unterstrichen</u>, die unten nummeriert sind. Finden Sie dazu aus
   der folgenden Liste im Kasten die passenden Synonyme und schreiben Sie sie jeweils
   daneben. **Achtung, zwei Wörter passen nicht!**

Beispiel
Verbrauch (Zeile 9): Konsum

Sorge	~~Konsum~~	brauchen	Organisation	klug
wächst	umsonst		Unternehmen	nehmen

(1) gedeiht (Zeile 22): ....
(2) benötigen (Zeile 25): ....
(3) unentgeltlich (Zeile 49): ....
(4) gescheit (Zeile 60): ....
(5) Konzerne (Zeile 78): ....
(6) Verein (Zeile 95): ....

TEXT II: ÄUSSERUNG ZUM THEMA (25) (Sample answers pages 117–120)

Bearbeiten Sie (a) oder (b).

(a) Fairer Handel, Kinderarbeit

- In vielen Entwicklungsländern arbeiten arme Leute für sehr wenig Geld, während die großen internationalen Konzerne, die ihre Produkte kaufen, immer reicher werden. Wie finden Sie das? Begründen Sie Ihre Antwort.

- Was ist fairer Handel? Wo in Irland kann man fair gehandelten Kaffee kaufen? Geben Sie Beispiele für andere fair gehandelte Produkte an.

- Warum müssen Kinder in der Dritten Welt oft arbeiten und welche Nachteile hat das für die Kinder? Nennen Sie **drei** negative Folgen.

(100 Wörter)

Oder:

(b) Wohlstand, Armut

- „Die Welt ist sehr ungleich und die Kluft zwischen Arm und Reich wird tiefer." Was meinen Sie zu dieser Aussage? Begründen Sie Ihre Antwort.

- Wie können reiche Länder den Entwicklungsländern helfen? Schlagen Sie **drei** Hilfsmethoden vor.

- Warum gibt es Ihrer Meinung nach Armut in Irland? Nennen Sie **drei** mögliche Ursachen.

(100 Wörter)

Sample question 2

(Solutions on pages 93–94)

TEXT II: LESEVERSTÄNDNIS (60)

> **BEDROHTE SPRACHEN**
> Fast jede Woche eine Sprache weniger

Éire abú

Es gibt weltweit 5000 bis 6000 lebende Sprachen. Sprachwissenschaftler meinen, fast zwei Drittel könnten aussterben – fast jede Woche eine. Mit
5 der Zeit verschwindet nicht nur die Sprache, sondern auch ein Teil der Kultur – Erzählungen, Lieder, Gedichte. Indianersprachen sind ein konkretes Beispiel dafür, wie mit der Sprache
10 nicht nur Worte verschwinden, sondern auch Wissen verloren geht. Der südamerikanische Regenwald und dessen Pflanzen sind ohne diese Sprachen schwer zu nutzen. Die
15 Kenntnis um die Wirkung von Pflanzen und Früchten ist oft an die Sprache gebunden. Wenn die Sprache ausstirbt, wird der Mensch seine Umwelt und seine Natur weniger verstehen. Ein
20 anderes Beispiel für eine sterbende Sprache ist die Sprache der Tofa* in Sibirien. Nur die ältere Generation beherrscht die Sprache und es besteht daher die Gefahr, dass die Sprache für
25 immer verschwinden wird. Viele Sprachen werden auch aussterben, weil

sie nur gesprochen werden. Sie sind eigentlich keine Schriftsprachen und ihre Überlebenschancen sind gering.

Die Förderung aller europäischer Sprachen
30 Europa hat 250 einheimische Sprachen, doch die meisten sind nicht offizielle oder Minderheitensprachen. Dieser linguistische Schatz ist schwer zu beschützen in einer Zeit, die die große
35 Verkehrssprache Englisch zu privilegieren scheint. Aber während das Englische als gemeinsame europäische Sprache an Boden gewinnt, versuchen die kleinen Sprachen aus der Asche aufzuerstehen. Im
40 Jahr 1992 verabschiedete der Europarat die *Europäische Charta der Regional- oder Minderheitensprachen*, die den Staaten empfiehlt, das Recht aller europäischer Sprachen anzuerkennen, in allen
45 Bereichen des täglichen Lebens präsent zu sein und ihren Einsatz zu fördern.
   Einige Sprachen leben richtig auf, zum Beispiel Katalanisch, das 10 Millionen Sprecher hat. Andere haben aber weniger
50 Erfolg. In Frankreich zum Beispiel, wo es sieben Regionalsprachen gibt, gewinnt Französisch weiter an Boden und die Minderheitensprachen werden immer weniger weitergegeben. Von diesen ist der
55 deutsche Dialekt, das Elsässische, am lebendigsten, mit ungefähr 900.000 Sprechern.
   Eine der Sprachen, die sich heutzutage am meisten bemüht, in Frankreich am
60 Leben zu bleiben, ist Bretonisch. Diese Sprache wird von 300.000 Menschen gesprochen und obwohl die meisten von ihnen schon ziemlich alt sind, kann die

Sprache wieder in der Schule gelernt
65 werden. Es gibt aber eine
Zwischengeneration, die die Sprache
verloren hat. Viele Eltern, die selbst
kein Bretonisch sprechen, freuen sich,
wenn ihre Kinder es lernen.
70 Eine Sprache, die es nicht leicht
haben wird zu überleben, ist Baskisch.
Das Sprachgebiet verteilt sich auf
Frankreich und Spanien. Baskisch ist
gefährdet, weil es schwierig zu erlernen
75 ist und sich von den anderen Sprachen
sehr unterscheidet.

Irisch – die bestbeschützte Minderheitsprache Europas

Unter den Minderheitsprachen
Westeuropas ist Irisch mit etwa
200.000 Sprechern die bestgeschützte
80 Minderheitsprache. Sie ist in Irland
Amtssprache und von der EU als
offizielle Sprache der Union anerkannt.
Sie ist Pflichtfach in der Schule und es
gibt Fernsehen auf Irisch. Einige Iren
85 sind der Meinung, dass man lieber in
andere Dinge investieren sollte. Die
meisten Iren scheinen aber mit der
Politik zufrieden zu sein und immer

mehr irische Eltern wollen, dass ihre
90 Kinder eine *Gaelscoil* (eine Schule, wo nur
auf Irisch unterrichtet wird) besuchen. Sie
sind nämlich stolz auf die Sprache ihrer
Vorfahren und wollen deren Sprache und
Kultur bewahren.

Zukunft

95 Die Europäische Kommission hat 2003
einen Aktionsplan ausgearbeitet. Ein Ziel
ist, die Sprachen, die von Generation zu
Generation weniger gesprochen werden,
auf allen Bildungsebenen zu unterrichten.
100 Doch die meisten werden nur in
bestimmten Situationen benutzt und
nicht im Alltag oder in einem sinnvollen
vielsprachigen Kontext. Manchmal zeigen
auch Regierungen eine gewisse
105 Feindschaft gegenüber
Minderheitsprachen. Natürlich gibt es
auch bessere Berufsmöglichkeiten mit
einer Sprache, die möglichst viele
Menschen sprechen. Leider ist die
110 Zukunft der Minderheitsprachen alles
andere als gesichert.

* Tofa   *a Siberian tribe*

Vocabulary

bedroht *threatened/endangered*	an Boden gewinnen *to gain ground*
der Sprachwissenschaftler *linguist*	anerkennen *to recognise*
aussterben *to die out/become extinct*	der Einsatz *use*
gering *slight*	sich bemühen *to try*
einheimisch *native*	Vorfahren (*mpl.*) *ancestors*
die Minderheitsprache *minority language*	Bildungsebenen (*fpl.*) *levels of education*
	die Feindschaft *hostility*

Beantworten Sie Frage 1 auf Deutsch.

1. (a) Wenn eine Sprache ausstirbt, verliert man auch einen Teil der Kultur. Geben Sie dafür **zwei** Beispiele an. (**Zeile 1–19**)

   . . . .

   . . . .

   (b) Nennen Sie **drei** Gründe, warum Minderheitensprachen aussterben können. (**Zeile 19–39**)

   . . . .

   . . . .

   . . . .

Answer Questions 2 and 3 in English.

2. (a) Explain how the European Council sought to protect minority languages. Give two details. (**lines 39–46**)

   . . . .

   . . . .

   (b) What is the current state of minority languages? Answer with regard to **three** of the following – Catalan, Breton, Alsatian and Basque. (**lines 47–76**)

   . . . .

   . . . .

   . . . .

3. (a) Give **five** details regarding the current state of the Irish language, as outlined in the passage. (**lines 77–94**)

   . . . .

   . . . .

   . . . .

   . . . .

   . . . .

   (b) The European Commission aims to incorporate minority languages into all areas of education. Outline **three** reasons why this might be difficult to achieve. (**lines 95–109**)

   . . . .

   . . . .

   . . . .

Beantworten Sie Frage 4 wie im Beispiel.

4. Im Text sind Wörter <u>unterstrichen</u>, die unten nummeriert sind. Finden Sie dazu aus der folgenden Liste im Kasten die passenden Synonyme und schreiben Sie sie jeweils daneben. **Achtung, ein Wort passt nicht!**

Beispiel

An Boden gewinnt (Zeile 38): vorwärts kommt

Mundart		~~vorwärts kommt~~	bedroht	macht
erhalten	etwa	versucht	Verwendung	einfach

(1) Einsatz (Zeile 46): ....

(2) Dialekt (Zeile 55): ....

(3) ungefähr (Zeile 56): ....

(4) sich bemüht (Zeile 58–59): ....

(5) leicht (Zeile 70): ....

(6) gefährdet (Zeile 74): ....

(7) bewahren (Zeile 94): ....

TEXT II: ÄUSSERUNG ZUM THEMA (25) (Sample answers pages 120–121)

Bearbeiten Sie (a) oder (b).

(a) Minderheitensprachen

- Geben Sie **drei** Gründe an, warum man eine Minderheitsprache bewahren sollte.

- Viele Minderheitensprachen sterben aus. Meinen Sie, dass Irisch auch aussterben könnte? Wie können wir das verhindern? Machen Sie **zwei** Vorschläge.

- Sollte Irisch in der Schule Pflichtfach sein? Was meinen Sie? Begründen Sie Ihre Antwort mit **zwei** oder **drei** Argumenten.

(100 Wörter)

Oder:

(b) Fremdsprachen

- Nennen Sie **drei** Gründe, warum man heutzutage eine Fremdsprache lernen sollte.

- Wie kann man am besten eine Fremdsprache lernen? Machen Sie **zwei** Vorschläge.

- „Englisch ist ein Muss, Deutsch ist ein Plus." Was meinen Sie dazu? Begründen Sie Ihre Antwort mit **zwei** Argumenten.

(100 Wörter)

Sample question 3

(Solutions on page 95)

TEXT II: LESEVERSTÄNDNIS (60)

DAS GLOBALISIERTE DIENSTMÄDCHEN

Die Sonne scheint, der Himmel glänzt, im Rebstockpark spielen Mütter mit kleinen Kindern. Zum Beispiel Lydia Flores, schlank, hübsch, schwarze Haare,
5 34 Jahre alt. Zärtlich hält sie ein Baby im Arm. Sie lächelt es an, sie summt ihm ins Ohr, sie streichelt seine Wange. Das bringt neun Euro die Stunde.

Lydia, die <u>Ersatzmutter</u>. Man kann sie
10 mieten. Sie wohnt in einem grau verputzten Haus hinter der Frankfurter Uni. Von den <u>Fensterrahmen</u> blättert weiße Farbe, neben der Tür kleben 17 Klingelschilder. Auf einem steht kein
15 Name. „Besser, man sieht nicht gleich, wer hier wohnt", sagt sie.

Lydia, die Illegale. Wenn sie auf der Straße einen Polizisten sieht, wechselt sie die Richtung. Wenn sie in die S-Bahn
20 steigt, kontrolliert sie zweimal, ob sie eine Karte hat. So wie man das macht, wenn man in Deutschland lebt, aber keinen deutschen Pass hat und keine <u>Aufenthaltsgenehmigung</u>, erst recht keine
25 Arbeitserlaubnis.

Natürlich arbeitet sie trotzdem. Vormittags geht sie putzen, schrubbt Böden, wäscht Hemden, füttert Hunde, nachmittags schiebt sie den <u>Kinderwagen</u>
30 mit dem fremden Baby durch die Stadt. 15 Monate ist der kleine Ricardo. Sein Vater verkauft Wertpapiere in einer Bank, seine Mutter ist Anwältin. Lydia verbringt mehr Zeit mit Ricardo als seine Eltern.
35 Von ihren eigenen Kindern hat sie nur Bilder. Die Wohnung mit dem leeren Klingelschild ist voll davon. Ihr kleiner

Sohn, stolz in Schuluniform. Ihre beiden Töchter, wie sie um die Wette grinsen. Die
40 Fotos hängen am Kühlschrank, stehen im Regal, kleben im Album.

Der Kinder wegen ist sie nach Deutschland gekommen. Um ihnen Geld schicken zu können. Seit sechs Jahren ist sie hier. „Seit
45 sechs Jahren habe ich meine Kinder nicht gesehen." Sie weint, als sie das sagt.

Die Migration wird weiblich: Gebildete Frauen aus armen Ländern verdingen sich als <u>Haushaltshilfen</u> in reichen Industriestaaten.
50 So wie Lydia. Sie arbeitet illegal in Frankfurt am Main, damit ihre Kinder in den Philippinen ein besseres Leben führen können. In dieser „Feminisierung der Migration" vermischen sich auf seltsame Weise feudale
55 Vergangenheit und emanzipatorische Gegenwart. Lehrerinnen aus den Philippinen, Studentinnen aus Mexiko, Übersetzerinnen aus Ecuador, Juristinnen aus Ghana brechen auf in Länder, in denen Frauen heute
60 Konzerne, Hochschulen und politische Parteien führen, um dort Arbeiten zu verrichten, die seit Jahrhunderten als Frauenarbeit gelten. Die Skala der Tätigkeiten reicht von Putzen, Waschen und
65 Kochen über die Betreuung von Kindern, Unterstützung von alten Menschen und die Pflege von Kranken bis zum Service bei Familien- und <u>Betriebsfeiern</u> und vom wöchentlichen 2-Stunden-Putzjob bis zur
70 Rund-um-die-Uhr-Verfügbarkeit in Privathaushalten.

Inzwischen machen Frauen, sonst auf den Arbeitsmärkten stets die Minderheit, weltweit mehr als die Hälfte der Migranten aus. Die

75 amerikanische Soziologin Arlie Russell
Hochschild, Mitherausgeberin des Buches
„Global Women", nennt das „die weibliche
Seite der Globalisierung". Nirgends ist sie
so sichtbar wie in den Philippinen, einem
80 Land, in dem vor 30 Jahren 12 Prozent der
Auswanderer Frauen waren. Heute sind es
70 Prozent.
    Ein Blick, ein Zögern. „Deutschland?
300 000 Pesos." Umgerechnet etwa
85 5000 Euro. So viel kosten die Unterlagen
für ein <u>Touristenvisum</u>. Belege, die der

deutschen Botschaft in Manila vorgaukeln,
die Antragstellerin wolle der schönen
Landschaft und nicht des Geldes wegen in
90 die Bundesrepublik. Jeden Tag verlassen
etwa 1900 philippinische Frauen ihre Heimat,
um im Ausland zu arbeiten. Jeden Tag stellt
die deutsche Botschaft in Manila mehrere
Dutzend Touristenvisa aus. Niemand weiß,
95 wie viele der vermeintlichen Touristen
wirklich Touristen sind. Lydia Flores war
97 keine Touristin.

Vocabulary

streicheln *to stroke*	die Verfügbarkeit *availability*
die Ersatzmutter *substitute mother*	der Mitherausgeber/die Mitherausgeberin
die Aufenthaltsgenehmigung *residence*	*co-publisher*
permit	die Botschaft *embassy*
der Übersetzer/die Übersetzerin *translator*	der Antragsteller/die Antragstellerin
verrichten *to perform/carry out*	*applicant*
die Betreuung *care/looking after*	vermeintlich *supposed*

Beantworten Sie Frage 1 auf Deutsch.

1. (a) Für Lydia ist das Leben in Deutschland sehr schwer. Nennen Sie **vier**
        Schwierigkeiten. (**Zeile 1–46**)

        ....
        ....
        ....
        ....

   (b) Warum ist sie nach Deutschland gekommen? Nennen Sie **zwei** Gründe.
        (**Zeile 35–52**)

        ....
        ....

Answer Questions 2 and 3 in English.

2. (a) Explain in detail how the lives of migrant women differ from those of women in
        the developed world. (**lines 47–63**)

        ....
        ....
        ....
        ....

(b) List five of the jobs undertaken by migrant women in Germany. (lines 63–71)

....

....

....

3. (a) How has the migration of women from the Philippines changed in recent years? (lines 72–82)

....

....

(b) Explain how migrants get the necessary documents to come to Germany. (lines 83–97)

....

....

....

Beantworten Sie Frage 4 wie im Beispiel.

4. Aus welchen Wörtern bestehen die folgenden zusammengesetzten Wörter (Komposita), die im Text <u>unterstrichen</u> sind, und was bedeuten sie im Text?

Beispiel
Ersatzmutter (Zeile 9): Ersatz + Mutter = *substitute mother*

(1) Fensterrahmen (Zeile 12): ....
(2) Aufenthaltsgenehmigung (Zeile 24): ....
(3) Kinderwagen (Zeile 29): ....
(4) Haushaltshilfen (Zeile 49): ....
(5) Betriebsfeiern (Zeile 68): ....
(6) Touristenvisum (Zeile 86): ....

TEXT II: ÄUSSERUNG ZUM THEMA (25) (Sample answers page 122)
Bearbeiten Sie (a) oder (b).

(a) Auswanderung

- Warum müssen heute so viele Leute auswandern? Geben Sie **zwei** Gründe an.
- Für Ausländer, die sich in Irland niederlassen wollen, ist das Leben oft schwer. Nennen Sie **drei** Schwierigkeiten, die sie haben.
- Wie können wir das Leben für ausländische Arbeiter in Irland verbessern? Machen Sie **drei** Vorschläge.

(100 Wörter)

Oder:

(b) Die Stellung der Frau heute

- Beschreiben Sie in **drei bis vier Sätzen**, was Sie auf dem Bild sehen.
- Gibt es heute eigentlich Gleichberechtigung für Frauen? Begründen Sie Ihre Antwort mit **zwei** oder **drei** Argumenten.
- Die berufstätige Frau hat es oft nicht leicht. Nennen Sie **drei** Schwierigkeiten, die sie hat.

(100 Wörter)

Solutions to sample questions

Note: Stroke (/) indicates alternatives. Information contained within round brackets ( ) is correct but not essential.

Text I: Literary comprehension

Sample question 1: Leseverständnis

Die Entdeckung der Currywurst (pages 55–56)

---

1   **(a)** Any three of:

Hier wohnen nicht mehr Hafen- und Werftarbeiter.

Die Häuser sind renoviert worden.

Die Wohnungen sind luxuriös ausgestattet worden./Es gibt hier jetzt luxuriöse Wohnungen.

In den früheren Milch-, Kurzwaren- und Kolonialwarenläden sind jetzt Coiffeurs, Boutiquen und Kunstgalerien.

   (b) Er hat das Papierwarengeschäft von Herrn Zwerg erkannt und er hat Herrn Zwerg erkannt.

   (c) Es gab nach dem Krieg nur einen einzigen Baum in der Gegend, weil die anderen Bäume in den Bombennächten abgebrannt oder später zu Brennholz zersägt worden waren./Alle anderen Bäume wurden während des Krieges zerstört oder später als Brennholz benutzt./Dieser Baum war der einzige Baum, der nicht in den Bombennächten abgebrannt oder später zu Brennholz zersägt worden war.

   (d) Eine Katze war (vor einem Hund) auf einen Baum geflohen und konnte nicht mehr heruntersteigen. Herr Zwerg war auf den Baum gestiegen, um die Katze zu retten./Eine Katze war auf einem Baum und konnte nicht mehr zurückklettern. Herr Zwerg war der Katze nachgestiegen.

2   **(a)** Any two of:

The narration made him listen quietly and attentively.

He was deeply moved by the story. He turned around after it was told, removed and wiped his left (glass) eye with a handkerchief and wiped his nose.

The story had made him cry/weep.

He said, "Das waren Zeiten." He meant those were the days or they were good times. He was looking back sadly on times past.

The narration evoked a vivid memory of the incident. He remembered being high up on the tree and not being able to estimate the distance down.

(b) **Two** details that show Herr Zwerg's financial hardship are:

The new landlord/house owner had announced an increase in rent two months ago and it was no longer payable/affordable./The new landlord had put up the rent two months ago and he couldn't afford to pay it.

The pension was not much. He wouldn't starve on it but he couldn't afford to live on it either.

3 (a) Any **four** of the following details would be accepted:

He observed Frau Brücker knitting by the window.

He noticed how the sunshine was lessened/softened by the net curtains.

It smelled of oil, floor polish and old age.

There were many old women and a few old men (sitting along the corridor/in the reception area).

The old people were wearing felt slippers.

The old people were wearing orthopaedic cuffs on their hands.

He had the impression from the way the old people stared at him that they had been waiting for him for days.

(b) Any **four** of the following details would be correct:

Her hair had become thin.

Her nose appeared to have grown.

Her chin appeared to have grown.

The former (bright/radiant) blue colour of her eyes was now milky.

Her finger joints were no longer swollen.

4 Any four of:

Sadness – the reference to the bombing during war time and the resulting loss of trees; there is sadness when Herr Zwerg refers to his current existence, his age (eighty next year), his meagre pension, and the fact that he is the last of the old residents in the house; the visit to the old people's home, the narrator's comment 'Es roch nach ... Alter' and his observation of the old people who seemed to just sit around and who stared at him as he entered; Frau Brücker's changed appearance is sad, especially the lost radiance in her eyes; the final words – the reader now knows the reason for the lack of radiance in Frau Brücker's eyes. 'Und dann bat sie mich, mein Gesicht anfassen zu dürfen' – she asked the narrator if she could touch his face. 'Die Gicht ist weg, dafür kann ich nix mehr sehen.' The gout has gone but Frau Brücker can no longer see.

Nostalgia – in the final paragraph there is nostalgia in Frau Brücker's clear memory of the narrator as a boy and how he used to sit with Hilde in the kitchen.

Nostalgia and sadness – Herr Zwerg's reaction to the narration of the tree-climbing incident – he is nostalgic when he speaks the words 'Das waren Zeiten' (Those were the days) and he is sad at the passing of time.

Sample question 1: Angewandte Grammatik

1   (a) Der Erzähler ging durch die Straßen, (1) **die** er von früher kannte. Die Läden, in (2) **denen** früher Kurzwaren und Kolonialwaren verkauft wurden, waren jetzt Boutiquen und Kunstgalerien. Der Erzähler erkannte den Mann, (3) **der** das Papierwarengeschäft besaß. Die Geschichte, (4) **die** er erzählte, machte Herrn Zwerg traurig. Herr Zwerg erinnerte sich an den Baum, auf (5) **den** er einmal gestiegen war. Die Frau, nach (6) **der** der Erzähler fragte, wohnte nicht mehr im Haus.

    (b) (1) die: Akkusativ, Plural
       (2) denen: Dativ, Plural
       (3) der: Nominativ, Singular, Maskulinum
       (4) die: Akkusativ, Singular, Femininum
       (5) den: Akkusativ, Singular, Maskulinum
       (6) der: Dativ, Singular, Femininum

2   (a) (1) Herr Zwerg klagte über die Mieterhöhung, *die er nicht bezahlbar fand/die er nicht bezahlen konnte/die der neue Hausbesitzer angekündigt hatte.*
       (2) Der Erzähler ging zum Altersheim, *um Frau Brücker zu besuchen.*
       (3) Der Erzähler sah Frau Brücker und merkte, *dass ihr Haar dünn war/dass ihr Haar dünn geworden war und dass das leuchtende Blau ihrer Augen jetzt milchig war/dass ihre Fingergelenke nicht mehr geschwollen waren.*
       (4) Frau Brücker erinnerte sich an den Erzähler, *der als Junge auf Besuch kam/der sie als Junge besuchte und bei Hilde in der Küche saß.*
       (5) Frau Brücker wollte das Gesicht des Erzählers anfassen, *weil sie ihn nicht sehen konnte/weil sie nicht mehr sehen konnte.*

    (b) „Lebt Frau Brücker noch?"

Sample question 2: Leseverständnis

Drei junge Männer werfen mit Steinen … (pages 59–60)

1   (a) Yildiz wurde mit Steinen beworfen./Einige Männer haben Steine auf Yildiz geworfen. Sie blutete am Hals./Ihr Hals blutete. Ein Stein schlug eine Fensterscheibe kaputt. Yildiz rannte/lief schnell weg.

     (b) Sie hatte dunkelbraunes, langes Haar und trug Jeans und Turnschuhe/ normale Klamotten wie andere Mädchen. Sie sprach so gut Deutsch wie andere Deutsche. Sie war in Deutschland geboren. Sie ging aufs Gymnasium.

     (c) Ihre Eltern würden sie nie mehr allein aus dem Haus lassen. Murat/Ihr Bruder würde mit seinen Freunden alle Glatzköpfe zusammenschlagen/würde sich mit jemandem schlagen/würde zurückschlagen/würde Yildiz beschützen wollen.

     (d) Sie wollten ein Haus bauen.

2   (a) She would say that she had bumped into Ulrike when they were playing volleyball and that Ulrike had scratched her with her long fingernails. She was confident she would get away with it because Ulrike was her best friend and she could rely on her if anyone asked.

     (b) **Any four of:**
     She was confused/bewildered. She thought the men couldn't have meant to hit her personally as she did not know them. She didn't want to talk to anyone about the incident, even her boyfriend Markus, as she feared his reaction. She felt there was no point in talking to her friend Ulrike because she would just tell her not to worry about it. She felt fear. She felt shame. She felt helplessness.

3   (a) She turned off the light. She didn't move when her mother came into the room.

     (b) Life was hard. Fatma was very young and didn't understand a word of German. She was often afraid of the strange/foreign country. She was very homesick.

4   Any two of:
She had a good relationship with her mother, she loved her a lot. She understood how hard life had been for her when she had first arrived in Germany. She could not tell her, however, about the attack because she feared her reaction. Her mother showed concern for her daughter. She sensed that something was wrong and wanted to talk to her about it.

Any **two** of:
She had a loving relationship with her **father** but she could not tell him the truth about the stone-throwing incident/she lied to him. He showed great tenderness towards his daughter when she came home, asked her if she would eat something and expressed concern about the wound on her neck. He was proud of his daughter.

Any **two** of:
She could not tell her **brother** about the attack because she feared his reaction/she knew he would want to fight back. He regarded himself as her protector because he was her big brother (although he was only two years older than her)./He wanted to protect her. He wanted her to stay with their own people/with the Turkish community.

Sample question 2: Angewandte Grammatik

1 (2) traf: treffen, Imperfekt/Präteritum, Singular
(3) ist: sein, Präsens, Singular
(4) haben ... gemeint: meinen, Perfekt, Plural
(5) ging: gehen, Imperfekt/Präteritum, Singular
(6) war ... gewesen: sein, Plusquamperfekt, Singular

2 Yildiz war ein (1) **türkisches** Mädchen. Sie hatte einen (2) **älteren** Bruder, der Murat hieß. Sie ging auf eine (3) **deutsche** Schule. Ihre Mutter erzählte ihr von der Ankunft der Eltern in Deutschland. Sie hatten einen (4) **schweren** Anfang. Es war gar nicht leicht, sich an das (5) **fremde** Land zu gewöhnen. Sie wollten eines Tages ein (6) **neues** Haus in der Türkei bauen.

Sample question 3: Leseverständnis

Die Einbahnstraße (pages 63–64)

1 (a) Sie hatten Angst, weil sie schlechte Noten hatten und sie vielleicht die Klasse wiederholen mussten./Sie hatten Angst, wegen ihrer schlechten Noten die Klasse wiederholen/sitzen bleiben zu müssen.
(b) Andy stand in Mathe und Chemie auf Fünf, der Erzähler stand in Englisch und Französisch auf Fünf, Herbert hatte einen Notendurchschnitt von 1,7/hatte sehr gute Noten.

(c) Herbert hatte in der Schule gute Noten und wollte den anderen Jungen (beim Lernen) helfen./Herbert hatte keine Probleme in der Schule und hat den anderen Jungen geholfen.

(d) Sie wollten zusammen lernen. Sie haben das Dach ausgesucht, weil es dort ein bisschen kühler war/weil es sehr heiß war und das Dach ein bisschen kühler war.

2 (a) A furniture removal van had blocked the path of the traffic behind it. The furniture removal men opened the door of the van and began to unload chairs, tables and boxes.

(b) They got out of their cars and swore at the furniture removal men. It had no effect. The furniture removal men continued to work. They patiently ignored the abuse and unloaded everything onto the pavement. Only then did the van move on. They laughed and began to carry the furniture into the house.

3 (a) Any **four** of:

She was very pale. She was not particularly pretty. She was wearing a long-sleeved sweatshirt (despite the heat). She began to put the window boxes/flower boxes in the mountings/holders provided./She began to arrange the window boxes/flower boxes on the balcony. She took a sack with potting compost and a shovel and divided/put the compost into the flower boxes.

(b) She ignored the narrator/did not return his smile. She looked away from him and looked at Andy. Andy smiled and she smiled back.

4 Any **four** of:

It was so hot that the boys sought a place where it might be cooler/where there was at least a breeze blowing. On the roof they spread out covers/blankets so as not to have to sit on the hot roofing felt. They drank ice-cold coke. Herbert had sunburn after the first day on the roof and he constantly wore a T-shirt despite the heat. There had been an appeal to those who owned gardens not to spray their lawns. The grass in the park was yellow. The narrator was lying in the shade. The writer states that the whole town was suffering from the heat (*Die ganze Stadt litt unter der Hitze*).

Sample question 3: Angewandte Grammatik

1
(1) Sie gingen auf das Dach des Hauses. **Es** schützte sie vor der Hitze.
(2) Eine Autoschlange hatte sich gebildet. Der Junge beobachtete **sie** von oben.
(3) Er sah einen Möbelwagen. **Er** versperrte den Weg.
(4) Der Erzähler lächelte das Mädchen an, aber sie ignorierte **ihn**.
(5) Andy bemerkte, dass der Erzähler jemanden anlächelte. Auf einmal stand er neben **ihm**.

2
(1) Herbert **trägt** ständig ein T-Shirt.
(2) Die ganze Stadt **leidet** unter der Hitze.
(3) Die PKW-Fahrer **verlieren** die Geduld.
(4) Ich **drücke** meine Zigarette aus.
(5) Das Mädchen **ist** auf dem Balkon.

Text II: Journalistic comprehension

Sample question 1: Leseverständnis

Das Geschäft mit dem Kaffee (pages 73–74)

1   (a) Kaffee ist heute ein sehr beliebtes Getränk – es gibt so viele verschiedene Kaffeegetränke, zum Beispiel Cappucino, Café au Lait und Eiskaffee. Kaffee ist beliebter als Bier.
Viele Leute, Jung und Alt, trinken Kaffee.
Der Kaffee ist ein sehr wichtiges Ausfuhrprodukt für die Dritte Welt./Nach Erdöl ist Kaffee das wichtigste Ausfuhrprodukt der Dritten Welt./Kaffee wird von den Ländern der Dritten Welt exportiert und das ist sehr wichtig für die Wirtschaft dieser Länder.

    (b) Diese Gebiete sind frostfrei und haben genug Regen./Es gibt in diesen Gebieten keinen Frost und es regnet genug.

2   (a) She received the Nobel Peace Prize for her work against large landowners who want to drive land workers and small farmers from their land.

    (b) Any **three** of:
She had to pick 35 pounds of coffee every day for very little money.
If she did not reach the required target she had to work the next day for the same money (the same 20 centavos).
If a worker continued to be behind in the work, he/she had to work for days without any money at all in order to catch up.
The coffee was weighed and the workers were deceived – all of the weights were falsified, showing less than had actually been picked.
They were treated like cattle/animals.

3   (a) Any **four** of:
Plantation workers
Seasonal and migrant workers
Small farmers
Coffee roasting houses
Representatives of world and retail trade
International concerns/companies

    (b) The improvement of living conditions for small farmers in the Third World
Better returns for small farmers and manual workers (with a view to securing their livelihood)

Support of ecological means of cultivation
Improvement of health provision
Promotion of independence
Promotion of equal rights

4 (1) gedeiht (Zeile 22): wächst
(2) benötigen (Zeile 25): brauchen
(3) unentgeltlich (Zeile 49): umsonst
(4) gescheit (Zeile 60): klug
(5) Konzerne (Zeile 78): Unternehmen
(6) Verein (Zeile 95): Organisation

Sample question 2: Leseverständnis

Bedrohte Sprachen (pages 77–78)

1 (a) Any two of:
Man verliert Erzählungen, Lieder, Gedichte, Worte, Wissen/die
Kenntnis um die Wirkung der Pflanzen und Früchte im
südamerikanischen Regenwald.

(b) Weil manchmal nur die ältere Generation die Sprache spricht.
Weil die Sprache oft nur gesprochen wird/keine Schriftsprache ist.
Weil Englisch eine große Verkehrssprache/die meistgesprochene Sprache
ist.

2 (a) Any two of:
In 1922, the European Council passed the European Charter of regional
or minority languages.
It recommended that states should recognise the right of all European
languages to be present in everyday life.
It recommended the promotion of the use of all European languages.

(b) Any three of:
Catalan: It has 10 million speakers.
Breton: It is spoken by 300,000 people, mostly older people. It can be
learnt in school. Many parents who have lost the language are happy that
their children learn it.

Alsatian: It is a German dialect. It is one of the most vibrant – it has 900,000 speakers.

Basque: It is spoken in the Basque region between France and Spain. It is in danger because it is difficult to learn and it is very different from other languages.

3   (a) Any five of:

It is the best protected of the minority languages of Western Europe.

It has 200,000 speakers.

It is an official language in Ireland.

It is recognised as an official language of the EU.

It is a compulsory language in school.

There is Irish television.

Many Irish think that it would be better to invest money in other things.

More and more Irish parents want their children to attend a Gaelscoil.

Many parents are proud of the language of their ancestors and want to preserve it and its culture.

(b) Most of the languages are only used in specific situations and not in everyday life.

Sometimes governments show a certain hostility towards minority languages.

There are better career opportunities with a language that is spoken by as many people as possible.

4   (1) Einsatz (Zeile 46): Verwendung

(2) Dialekt (Zeile 55): Mundart

(3) ungefähr (Zeile 56): etwa

(4) sich bemüht (Zeile 58–59): versucht

(5) leicht (Zeile 70): einfach

(6) gefährdet (Zeile 74): bedroht

(7) bewahren (Zeile 94): erhalten

Sample question 3: Leseverständnis

Das globalisierte Dienstmädchen (pages 81–82)

1   (a) Any **four** of:
Sie ist illegal. Sie hat keine Arbeitserlaubnis/Sie darf in Deutschland
nicht arbeiten.
Sie hat keine Aufenthaltsgenehmigung.
Sie hat Angst vor der Polizei, weil sie illegal ist. Sie vermisst ihre Kinder
– sie hat ihre Kinder seit sechs Jahren nicht mehr gesehen.
Sie muss sehr viel arbeiten, um Geld für ihre Kinder zu verdienen.
(b) Any **two** of:
Sie ist nach Deutschland gekommen, um zu arbeiten und um ihren
Kindern Geld zu schicken. Sie will in Deutschland arbeiten. Sie will ein
besseres Leben für ihre Kinder.

2   (a) They are poor. They often have to work illegally. Although they are
highly educated, they do traditional women's work in countries of the
developed world where women are directors of companies, universities
and political parties.
(b) Any **five** of:
Cleaning, washing, cooking, caring for children, caring for old people,
caring for sick people, working at family and company parties/celebrations,
weekly two hours' cleaning job, round-the-clock availability in private
households.

3   (a) Women now make up the majority of migrants. Thirty years ago, only
12% of emigrants from the Philippines were women. Now they comprise
70%.
(b) They pay about €5000 for the documents necessary to convince the
German Embassy in Manila that they are tourists wishing to visit
Germany. They get a tourist visa.

4   (1) Fensterrahmen (Zeile 12): Fenster + Rahmen = *window frames*
(2) Aufenthaltsgenehmigung (Zeile 24): Aufenthalt + Genehmigung =
residence permit
(3) Kinderwagen (Zeile 29): Kinder + Wagen = *pram*
(4) Haushaltshilfen (Zeile 49): Haushalt + Hilfen = *domestic help*
(5) Betriebsfeiern (Zeile 68): Betrieb + Feiern = *company party/celebration*
(6) Touristenvisum (Zeile 86): Touristen + Visum = *tourist visa*

3 Grammar (*Angewandte Grammatik*)

aims

- To teach a wide range of grammar points frequently tested on the Leaving Certificate German Higher Level paper.
- To help you recognise and apply grammatical structures.
- To help you achieve a good understanding of German grammar that will be useful to you in all sections of the examination.

The 'Angewandte Grammatik' section is worth 25 marks.

This part of the exam tests your ability to apply your knowledge of German grammar to the language of **one** of the Reading Comprehension passages on the paper. There are normally **two** questions, testing **two different aspects** of grammar. The following pages will illustrate many of the areas frequently tested.

exam TIPS

REMEMBER:

1. Be familiar with all aspects of German grammar so as to be able to identify various grammatical structures and parts of speech.

2. Be familiar with **all grammatical terms in German**, e.g. 'Zeitform' (*Präsens, Präteritum/Imperfekt, Perfekt, etc.*), 'Fragewörter' (*wer, warum, was, etc.*), 'Relativpronomen', etc.

3. Pay close attention to the **example** given. It is there to help you.

Timing

You should spend approximately **15–20 minutes** on this section, depending on the detail required. You may even complete the tasks in less time. Consider it carries **25 marks**, while the Reading Comprehension passage carries **60 marks**. Do not neglect any part of it **but do not linger!**

Fälle (Cases)

One area frequently tested in the 'Angewandte Grammatik' is your understanding of the **four** cases in German: **Nominativ, Akkusativ, Dativ, Genitiv.**

- The **nominative case** denotes the **subject** of the sentence. The subject is the doer, the person or thing that **governs** the verb, e.g. 'Der Mann ist vierzig Jahre alt'. The subject is 'Der Mann', so he is in the nominative case.
- The **accusative case** denotes the **direct object** of the sentence. The direct object is **governed by** the verb, e.g. 'Die Frau liest die Zeitung.' 'Die Zeitung' is the direct object, so it is in the accusative case.
- The **dative case** denotes the **indirect object** of the sentence. The indirect object is **governed indirectly by** the verb and frequently contains the

> **key point**
>
> It is important to have a basic understanding of **what these cases actually mean.**

notion of 'to' a person or thing, e.g. 'Ich schicke meiner Freundin eine Postkarte'. 'Meiner Freundin' (*to my friend*) is the indirect object, so it is in the dative case.
- The **genitive case** denotes **possession** i.e. 'belonging to' or 'of' a person or thing, e.g. 'Das Auto meines Vaters' (*my father's car/the car of my father*), so 'meines Vaters' is the genitive case.

There are **four** lists of prepositions that you should learn. These prepositions determine the case.

Dativ	Akkusativ	Genitiv	Dativ oder Akkusativ*
aus	bis	außerhalb	an
bei	durch	innerhalb	auf
gegenüber	entlang**	statt	hinter
mit	für	trotz	in
nach	gegen	während	neben
seit	ohne	wegen	über
von	um		unter
zu			vor
			zwischen

* Dative indicates **position.**

** Entlang, usually comes **after** the noun and uses the **accusative** case, e.g. 'den Wald entlang'. However, sometimes it comes **before** the noun and uses the **genitive**, e.g. 'entlang des Weges', or dative, e.g. 'entlang dem Fluss'.

Wir essen in **der** Küche.   *We eat in the kitchen.*

Die Katze sitzt auf **dem** Stuhl.   *The cat is sitting on the chair.*

Accusative indicates **movement towards.**

Wir gehen in **die** Küche.   *We are going into the kitchen.*

Die Katze springt auf **den** Stuhl.   *The cat jumps onto the chair.*

Now look at the underlined words in the following phrases taken from the 2009 German Comprehension passage (Text I) and **apply the above information**. Identify the **case** in each phrase.

1. Wenn er Weihnachten <u>den Weihnachtsmann</u> spielte ... (Zeile 2)
2. In der Schule war ich <u>eine der Besten</u> ... (Zeile 8)
3. Mutter nickte <u>mir</u> zu ... (Zeile 12)
4. <u>Die Insel</u> vierunddreißig war steinig ... (Zeile 32)
5. mit <u>dem Festland</u> ... (Zeile 33)
6. und dass es ganz für <u>die Inseln</u> schlug ... (Zeile 89)

Answers with explanations

1. In this phrase 'den Weihnachtsmann' is the **direct object** of the verb 'spielte', with 'er' the subject. It is therefore the **accusative case**.
2. In this phrase 'eine der Besten' translates as 'one **of** the best'. It is therefore the **genitive case**.
3. In this phrase the underlined word is a **pronoun in the dative case**. (*Mother nodded to me*)
4. 'Die Insel' is clearly the **subject** of the phrase. It is therefore the **nominative case**.
5. In this phrase 'Festland' is preceded by the **preposition** 'mit', which takes the **dative case**.
6. In this phrase there is once again a **preposition**. 'Für' takes the **accusative case**.

As you see, if you know and understand what the cases **mean** and if you have **learned the preposition lists**, you will be able to make sense of the exam questions on this topic.

This knowledge can then be applied to **several areas of grammar**: **'Bestimmte und unbestimmte Artikel'** (*definite and indefinite articles*), **'Nomen/ Substantive'** (*nouns*), **'Adjektivendungen'** (*adjective endings*), **'Pronomen'** (*pronouns*) and **'Relativpronomen'** (*relative pronouns*).

Adjektivendungen (*Adjective endings*)

Note: While the adjective endings are in **bold red** type, the table also clearly indicates the following:

- bestimmte Artikel ('der, die, das', etc.)
- unbestimmte Artikel ('ein, eine, einen', etc.)
- Nomen/Substantive (*nouns*)
- Geschlecht (*masculine, feminine, neuter*)
- Singular und Plural

Nach dem bestimmten Artikel (After the definite article)

	Maskulinum	Femininum	Neutrum	Plural
Nom.	der alte Mann	die alte Frau	das alte Haus	die alten Häuser
Akk.	den alten Mann	die alte Frau	das alte Haus	die alten Häuser
Dat.	dem alten Mann	der alten Frau	dem alten Haus	den alten Häusern
Gen.	des alten Mannes	der alten Frau	des alten Hauses	der alten Häuser

The same endings are also used after '**dieser, diese, dieses**', etc. and '**welcher, welche, welches**', etc.

Dieses blaue Hemd gefällt mir. *I like this blue shirt.*
  (*Nom. Neut.*)
Welchen deutschen Film hast du gesehen? *Which German film did you see?*
  (*Akk. Mask.*)

> **key point**
>
> The **dative plural noun** always ends in '**-n**'.

Nach dem unbestimmten Artikel (After the indefinite article)

	Maskulinum	Femininum	Neutrum	Plural
Nom.	ein alter Mann	eine alte Frau	ein altes Haus	alte Häuser
Akk.	einen alten Mann	eine alte Frau	ein altes Haus	alte Häuser
Dat.	einem alten Mann	einer alten Frau	einem alten Haus	alten Häusern
Gen.	eines alten Mannes	einer alten Frau	eines alten Hauses	alter Häuser

In the **singular** form, the same endings are used after '**kein, mein, dein, sein, ihr**', etc., e.g. 'mein alt**es** Haus'.

In the **plural** form, these words are followed by the **definite article** endings, e.g. 'unsere alt**en** Häuser'.

Sometimes a singular word may have no article in front of it, e.g. 'fresh milk'. If so, the endings are as follows:

	Maskulinum	Femininum	Neutrum
Nom.	guter Wein	frische Luft	weißes Brot
Akk.	guten Wein	frische Luft	weißes Brot
Dat.	gutem Wein	frischer Luft	weißem Brot
Gen.	guten Weines	frischer Luft	weißen Brotes

Pronomen (*Pronouns*)

Personalpronomen (*Personal pronouns*)

Nominativ	Akkusativ	Dativ
ich	mich	mir
du	dich	dir
er	ihn	ihm
sie	sie	ihr
es	es	ihm
wir	uns	uns
ihr	euch	euch
sie	sie	ihnen
Sie	Sie	Ihnen

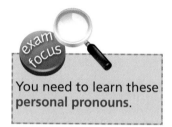

You need to learn these personal pronouns.

Reflexivpronomen (*Reflexive pronouns*)

The reflexive pronoun corresponds to the pronouns 'myself, yourself', etc. In German it has two distinct forms:

Akkusativ	Dativ
mich	mir
dich	dir
sich	sich
uns	uns
euch	euch
sich	sich
sich	sich

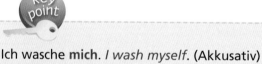

Ich wasche mich. *I wash myself.* (Akkusativ)
Ich wasche mir die Haare. *I wash my hair.* (Dativ)

Exam question: Guided answers (pages 49–50)

Now look at the following question from the 2008 paper, and see how you might use the knowledge you have acquired.

Sie sehen hier fünf Sätze, in denen **Substantive** (**Nomen**) <u>unterstrichen</u> sind. Sehen Sie sich das Beispiel an. Geben Sie nun für die anderen vier Substantive an

- ob Singular oder Plural
- bei Singular das Geschlecht (Femininum, Maskulinum, Neutrum)
- den Fall (Nominativ, Akkusativ, Dativ, Genitiv)

1 *Beispiel:* Er war etwa so alt wie ihr <u>Vater</u>. (*He was about as old as her father.*) The word 'Vater' is underlined. It is clearly **singular**. It is **masculine** and it is **nominative**. Determining the case is usually the most difficult task in this area. The nominative denotes the **subject** of the sentence.

2 Er war vielleicht ein Geschäftsmann aus einem der großen <u>Bürohäuser</u>. (*He was perhaps a businessman from one of the big office blocks.*) 'Bürohäuser' – 'Büro' plus 'Häuser'. 'Häuser' is the plural of 'Haus'. Because it is plural, you don't have to worry about gender. Now for the case! Translate the sentence and see if this helps: 'He was perhaps a businessman from one of the big office blocks'. What does the phrase 'one of the' say to you? It implies 'belonging to' and what case denotes 'belonging to' or 'possession'? The genitive. **Answer:** Bürohäuser – **Plural, Genitiv**.

3 Sie sah ein dickes <u>Portemonnaie</u> aus schwarzem Leder. (*She saw a thick wallet made of black leather.*) The word 'Portemonnaie' is singular and the adjective ending 'dickes' indicates that it is neuter. What did she see? The 'Portemonnaie' is the direct object of the sentence and the **accusative** case denotes the direct object. **Answer:** Portemonnaie – **Singular, Neutrum, Akkusativ**.

4 Er glaubte, dass ihm im „Café Eiszeit", dem <u>Treffpunkt</u> der feinen Gesellschaft, nichts passieren würde. (*He believed that nothing would happen to him in Café 'Eiszeit', the meeting point of fine society.*) 'Treffpunkt' is a 'meeting point'. It is a singular noun. The word 'dem' before it will tell you that it is not a feminine word. It is either masculine or neuter. If you don't know which, break up the word thus: 'treff' plus 'Punkt'. Now you may know that the word 'Punkt' is masculine. If you don't, you still have a 50/50 chance and can guess! (**Note:** Sometimes if you don't know the gender of a word, it is worth skimming over the passage to see if and where it occurs and the gender may then become clear.) Now for the case: if the word 'dem' does not make it clear to you, look back at the word 'im' meaning 'in the' and remember that 'in' is one of the prepositions that takes the dative case when it refers to position. **Answer: Singular, Maskulinum, Dativ**.

5 Niemand hatte den Diebstahl bemerkt, nicht einmal das <u>Opfer</u>. (*No one had noticed the theft, not even the victim.*) It is clearly a singular word (*das*) and 'das' is clearly neuter. Like number 1, it is the subject of the sentence. **Answer: Singular, Neutrum, Nominativ**.

Relativpronomen (*Relative pronouns*)

Relative pronouns are frequently tested in the 'Angewandte Grammatik' section. Remember that the knowledge you have acquired with regard to the 'Fälle' (cases) will help you to make sense of these.

Relative pronouns are the equivalent of '**who, whose, whom, which, that**' in English. A **relative clause** (*Relativsatz*) gives **extra** information about something or someone. Look at the following example:

Ich mag die Jacke, **die** sie trägt. *I like the jacket that she is wearing.*

'Ich mag die Jacke' (*I like the jacket*) is a **main clause**; '**die** sie trägt' (*that she is wearing*) is **extra information**.

The relative pronoun **cannot be left out in German** as it can in English. 'The man I saw yesterday ...' is perfectly correct English. However, in German you must say 'Der Mann, **den** ich gestern gesehen habe ...'

Learn and remember the following rules regarding relative pronouns.

- The relative pronoun must **agree** in **gender** and **number** with the noun to which it refers, i.e. masculine, feminine, neuter, singular, plural: ... Der Mann, **den** ich gesehen habe ...
- The **case** (*Fall*) of the relative pronoun will depend on its function **in the relative clause**. In the above example, the man is the **direct object** of the **relative clause**. Therefore, he is in the **accusative case**.
- The **verb** of the relative clause goes to the **end** of the relative clause.
- Separate the main clause from the relative clause by a **comma**.

Exam question: Guided answers (page 50)

As you go through these guided answers, refer back to the above rules and see how they are applied.

Question 2 of the 'Angewandte Grammatik' section of the 2008 exam tests relative pronouns. You must connect two sentences with a relative pronoun and make one sentence.

Bilden Sie Relativsätze mit dem jeweils richtigen Relativepronomen wie im Beispiel.
Beispiel: **Der Mann hatte zwei Handys. Er hatte sie auf die Theke gelegt.**

The example will once again help you. The answer is: 'Der Mann hatte zwei Handys, <u>die</u> <u>er auf die Theke gelegt hatte.</u>' (*The man had two mobile phones, which he had placed on the counter.*)

---

1 'Frederika sah ein Portemonnaie. Es war aus schwarzem Leder.' (*Frederika saw a wallet. It was made of black leather.*) 'Portemonnaie' is singular, it is neuter and it is the subject of the relative clause.
Answer: Frederika sah ein Portemonnaie, **das** aus schwarzem Leder war.

2 'Tessa bestellte einen Espresso. Sie blieb ganz cool.'. Tessa is of course one person (singular) and feminine and she is the subject of the clause – she remained cool.
Answer: Tessa, **die** einen Espresso bestellte, blieb ganz cool.

3 'Frederikas Knie zitterten. Sie war aufgeregt.' 'Knie' is a plural word (*zitterten*). The knees belong to Frederika: Frederika's knees. Hence, genitive.
Answer: Frederika, **deren** Knie zitterten, war aufgeregt.

4 'Der Mann hatte ein Taschentuch. Er reinigte seine Hose damit.' 'Taschentuch' (*handkerchief*) is singular. 'Er hatte **ein** Taschentuch' indicates that it is neuter. The man cleaned his trousers **with it** (*damit*). 'Mit' takes the dative case.
Answer: Der Mann hatte ein Taschentuch, mit **dem** er seine Hose reinigte.

5 'Sie standen vor dem Bild. Das Bild hing an der Wand.' 'Bild' is singular and neuter. **It** was hanging on the wall. (Subject of the sentence)
Answer: Sie standen vor dem Bild, **das** an der Wand hing.

The following is a reminder of the relative pronouns:

	Maskulinum	Femininum	Neutrum	Plural
Nom.	der	die	das	die
Akk.	den	die	das	die
Dat.	dem	der	dem	denen
Gen.	dessen	deren	dessen	deren

Fragewörter (*Question words*)

You may be asked to form questions, which would elicit answers based on the content and language of the text. The answer required is underlined.

Example: Karl hat mich angerufen.
Karl is underlined, so the question is: '**Wer** hat angerufen?' (*Who called?*)

Further examples:

Ich lese gern Krimis.	**Was** liest du gern?
Mannheim liegt in Deutschland.	**Wo** liegt Mannheim?
Ich habe am 9. Mai Geburtstag.	**Wann** hast du Geburtstag?
Es hat 58€ gekostet.	**Wie viel** hat es gekostet?
Der Film dauert zwei Stunden.	**Wie lange** dauert der Film?
Der Regenschirm gehört der Dame.	**Wem** gehört der Regenschirm?

Here is a list to remind you of the most frequently used question words.

Wo?	*Where?*	Wem?	*Whom? (Dat.)*
Woher?	*From where?*	Wessen?	*Whose?*
Wohin?	*Where to?*	Wie viel?	*How much?*
Wann?	*When?*	Wie viele?	*How many?*
Was?	*What?*	Wie oft?	*How often?*
Was für?	*What kind of/sort of?*	Wie lange?	*How long?*
Warum?	*Why?*	Welcher? (*m.*)	*Which/What?*
Wie?	*How?*	Welche? (*f.*)	
Wer?	*Who? (Nom.)*	Welches? (*n.*)	
Wen?	*Whom? (Akk.)*	Welche? (*pl.*)	

Where the answer requires the question word 'who', 'whose' or 'whom', note the following rules.

- **Wer** is the **subject** of the question, therefore is the **nominative case**.

- **Wen** is the **direct object** of the question, therefore is in the **accusative case**.

- **Wem** is the **indirect object** of the question, therefore is in the **dative case**.

- **Wessen** simply means 'whose' **(genitive)** and can be put directly in front of a noun.

Look at the following examples:

Wer fehlt heute?   *Who is absent today?*
Wen hast du gesehen?   *Whom did you see?*
Wem gehört der Regenschirm?   *Who owns the umbrella? (Lit. 'To whom does the umbrella belong?')*
Wessen Auto ist das?   *Whose car is that?*

key point

Sometimes the answer will contain a preposition, e.g. 'Die Lehrerin zeigt **auf die** Landkarte.' (*The teacher points to the map.*) In English the question would be 'What is the teacher pointing **to**?' This is conveyed in German by putting '**wo**' in front of the preposition and where the preposition begins with a vowel, the letter '**r**'. The question would read: '**Worauf** zeigt die Lehrerin?'

Further examples:

Ich schreibe <u>mit einem Bleistift</u>.	**Womit** schreibst du?
Es geht <u>um die Kette</u>.	**Worum** geht es?
Der Film handelt <u>von Klimaveränderung</u>.	**Wovon** handelt der Film?
Sie sprechen <u>über die Schule</u>.	**Worüber** sprechen sie?
Ich denke <u>an meine Kindheit</u>.	**Woran** denkst du?

Exam question

Now look at the following question from a past exam paper (2003) and see how the above information is applied.

Unten sehen Sie fünf Sätze, in denen ein Wort/ eine Wortgruppe unterstrichen ist. Wie lautet jeweils die **Frage**, auf die diese Sätze eine Antwort geben? (**Welches Fragewort** würden Sie benutzen, um nach den unterstrichenen Wörtern/Wortgruppen zu fragen?)

Beispiel:

1	Abends essen wir <u>Schweinebraten</u>.	**Was** essen wir abends?
2	Der Fuß gehört <u>einer erwachsenen Frau</u>.	**Wem** gehört der Fuß?
3	Die Verkäuferin zeigt <u>auf das Regal</u>.	**Worauf** zeigt die Verkäuferin?
4	<u>Leopold</u> hält ein paar Fotos in der Hand.	**Wer** hält ein paar Fotos in der Hand?
5	Frau Hung trägt <u>ein goldglänzendes Cocktailkleid</u>.	**Was** trägt Frau Hung?

Verben (*Verbs*)

When verbs are tested in the 'Angewandte Grammatik' section, the emphasis is often on the '**Zeitform**' (*tense*), but there are other aspects. You may be required to do any of the following:

- identify the **tense** of a verb
- give its **infinitive** form
- state whether it is **singular** or **plural**
- change the verb into another tense (e.g. '**Präsens**' to '**Imperfekt**')

It is very important to be able to **recognise** and **write** the verbs in different tenses. They are **frequently tested**. Be familiar with the German words for these tenses: Präsens, Perfekt, Imperfekt/Präteritum, Plusquamperfekt, Futur, Konditional.

Consider the following sentences based on the language of a past Reading Comprehension Passage (Text I 'Leseverständnis', 2009). The following **two** tasks will test your knowledge and understanding of verbs.

Task 1

In the case of each underlined verb:

- identify the **tense** (*Zeitform*)
- give the **infinitive** form of the verb
- state whether it is **singular** or **plural**

1. Ich <u>brachte</u> meine Mathematikarbeiten mit nach Hause.
2. „Und <u>schlägt</u> dein Herz dafür?"
3. Mein Vater <u>ging</u> zu allen Elternsprechtagen.
4. Niemand <u>hatte</u> den Inseln einen Namen <u>gegeben</u>.
5. Früher <u>haben</u> die Einwohner schwarze Filzhüte <u>getragen</u>.
6. Die Leute <u>kommen</u> nie von den Inseln weg.
7. Das <u>ist</u> ein komisches Völkchen dort draußen.
8. Ein kleiner Junge <u>schaute</u> mich <u>an</u>.
9. Noch nie <u>hatte</u> ich solche Augenbrauen <u>gesehen</u>.
10. Ich <u>fand</u> ein einziges neues Foto.

Answers

1. brachte: Imperfekt/Präteritum, bringen, singular
2. schlägt: Präsens, schlagen, singular
3. ging: Imperfekt/Präteritum, gehen, singular
4. hatte ... gegeben: Plusquamperfekt, geben, singular
5. haben ... getragen: Perfekt, tragen, plural
6. kommen: Präsens, kommen, plural
7. ist: Präsens, sein, singular
8. schaute an: Imperfekt/Präteritum, anschauen, singular
9. hatte ... gesehen: Plusquamperfekt, sehen, singular
10. fand: Imperfekt/Präteritum, finden, singular

Task 2

Four tenses ('Präsens', 'Imperfekt/Präteritum', 'Perfekt' and 'Plusquamperfekt') occur in the sentences on page 106. Write each verb in the other **three** tenses. (Make sure the verb agrees with the pronoun/noun.)

Answers

	Präsens	Imperfekt	Perfekt	Plusquamperfekt
1.	bringe	*brachte*	habe gebracht	hatte gebracht
2.	*schlägt*	schlug	hat geschlagen	hatte geschlagen
3.	geht	*ging*	ist gegangen	war gegangen
4.	gibt	gab	hat gegeben	*hatte gegeben*
5.	tragen	trugen	*haben getragen*	hatten getragen
6.	*kommen*	kamen	sind gekommen	waren gekommen
7.	*ist*	war	ist gewesen	war gewesen
8.	schaut an	*schaute an*	hat angeschaut	hatte angeschaut
9.	sehe	sah	habe gesehen	*hatte gesehen*
10.	finde	*fand*	habe gefunden	hatte gefunden

You can **test yourself** with many more examples from Leaving Certificate passages. Read through the texts, picking out examples of verbs and repeat the exercise as illustrated. Refer to the list of verbs on pages 111–113 to check and **learn** how the verbs change in their various tenses.

Note that the 'Perfekt' and the 'Plusquamperfekt' each has the **same past participle**. The tenses are distinguished by the tense of the 'Hilfsverb' ('haben' or 'sein'). While the perfect tense is formed with the **present** tense of 'haben' or 'sein', the pluperfect tense is formed with the **imperfect** tense of these verbs.

The pluperfect tense goes a **step further into the past**.
Ich habe das Foto gesehen. (*I saw/have seen the photo.*) (Perfekt)
Ich hatte das Foto gesehen. (*I had seen the photo.*) (Plusquamperfekt)

Exam question

Now consider how the verb question was worded in the 'Angewandte Grammatik' section of the 2007 exam paper. You will see how you can use your knowledge and understanding of verbs to answer.

Schreiben Sie die folgenden unterstrichenen Verben im Präsens.

Beispiel: Und da <u>stand</u> sie, schöner als das letzte Mal. ➜ Und da **steht** sie, schöner als das letzte Mal.

1. Ich <u>bat</u> den Jungen, mir mal seine Geige zu holen.
2. Ich <u>tat</u> wie in alten Stummfilmen.
3. Ich <u>glotzte</u> das Heft mit großen Augen <u>an</u>.
4. Ich <u>nahm</u> die Geige erst einmal falsch in die Hand.
5. Jetzt <u>wollte</u> das Kind auch spielen.

Answers

1. Ich **bitte** den Jungen, mir mal seine Geige zu holen.
2. Ich **tue** wie in alten Stummfilmen.
3. Ich **glotze** das Heft mit großen Augen an.
4. Ich **nehme** die Geige erst einmal falsch in die Hand.
5. Jetzt **will** das Kind auch spielen.

Der Konjunktiv (*Subjunctive*)

'Konjunktiv I' is formed by adding the endings '-e, -est, -e, -en, -et, -en' to the stem of the infinitive thus:

haben	
ich habe	wir haben
du habest	ihr habet
er, sie, es habe	sie, Sie haben

The verb 'sein' is irregular:

sein	
ich sei	wir seien
du seiest	ihr seiet
er, sie, es sei	sie, Sie seien

'Konjunktiv II' is formed by adding the same endings to the **imperfect stem** of **strong/irregular** verbs and an **umlaut** is usually added to the broad vowels thus:

kam	
ich käme	wir kämen
du kämest	ihr kämet
er, sie, es käme	sie, Sie kämen

war	
ich wäre	wir wären
du wärest	ihr wäret
er, sie, es wäre	sie, Sie wären

The 'Konjunktiv II' of **weak/regular** verbs is exactly the same as the imperfect tense.

The 'Konjunktiv' is often used in indirect/reported speech (*indirekte Rede*). You may come across this in Reading Comprehension passages. There are examples of indirect speech in the 2007 exam (Text I). Consider the following extract.

Ich sagte dem Kleinen, die Violine **sei** ein wunderbares Instrument. Man **könne** viel mit ihr machen und vor allem **solle** er Musiknoten lesen lernen, denn Notizen **seien** eine geheimnisvolle Sprache. Und obwohl ich leider noch nicht so gut Deutsch **spräche** und aus einer dreitausend Kilometer entfernten Stadt **käme, könne** ich doch seine Musiknoten lesen und spielen.

All the words in **bold** are verbs in the '**Konjunktiv**'. They are there as a result of 'Ich sagte ...' (*I said* ...) If the author of this extract was speaking **directly** to the little boy, the extract would not have used this form. It would read thus:

„Die Violine **ist** ein wunderbares Instrument. Man **kann** viel mit ihr machen und vor allem **sollst du** Musiknoten lesen lernen, denn Notizen **sind** eine geheimnisvolle Sprache. Und obwohl ich leider noch nicht so gut Deutsch **spreche** und aus einer dreitausend Kilometer entfernten Stadt **komme, kann** ich doch **deine** Musiknoten lesen und spielen."

Don't worry! You do not have to use the 'Konjunktiv' very often. You could write pages of excellent German without a single example of this. However, a question may arise which requires you to write a portion of indirect speech in its **direct** form.

Exam question

Now consider the following question from the Text I 'Angewandte Grammatik' section of the 2000 exam paper.

Im Text I benutzt der Autor Franz Hohler **indirekte Rede**. Im Beispiel unten wurde ein Satz aus dem Text in **direkte Rede** umgeschrieben. Sehen Sie sich das Beispiel an.

Beispiel: Wahrscheinlich, meinte mein Vater, **sei** es ein Passant gewesen, der zufällig vorbeigekommen **sei.** (Zeile 31–33) ➤
Mein Vater meinte: „Wahrscheinlich **ist** es ein Passant gewesen, der zufällig vorbeigekommen **ist.**"

Schreiben Sie jetzt den Satz unten in die **direkte** Rede um.

Mein Vater war sehr erstaunt, schüttelte den Kopf und sagte, nie, nie **habe** er diesen Mann gesehen. (**Zeile 33–36**)

Answer

Mein Vater war sehr erstaunt, schüttelte den Kopf und sagte: „Nie, nie **habe ich** diesen Mann gesehen."

The 'Konjunktiv II' is used to convey the **conditional** tense, i.e. what one **would** do:

Ich **würde** ein großes Haus kaufen.   *I would buy a big house.*
Ich **hätte** gern eine Tasse Tee.   *I would like a cup of tea.*

Meine Oma **wäre** heute nicht meine Oma, wenn damals am anderen Ufer nicht ein Mann gestanden **hätte**. (Text I, 2002)
Das **gäbe** eine Szene zu Hause!, dachte Gloria. (Text I, 2001)
Dort ist nichts, was eine Reise wert **wäre**. (Text I, 2009)

Das Passiv (*Passive*)

You will recognise the passive by the use of '**werden**' and the **past participle**:

Die Fenster werden geputzt.   *The windows are being cleaned.*
Die Hefte wurden eingesammelt.   *The copies were collected.*
Das Auto ist repariert worden.   *The car has been repaired.*
Der Junge wird bestraft werden.   *The boy will be punished.*

Examples from past exam papers:

Entwickelt wurde das Programm vor zwei Jahren von der Psychologin Simone Trautsch. (Text II, 2006)
Wenn sie zur Toilette gehen ... wollen, **werden** die Gäste von ihrem Kellner aus dem Dunkeln **hinausgeführt**. (Text II, 2005)
Die Natur holt sich in ihnen zurück, was ihr auf dem Land **genommen wurde**. (Text II, 2009)

You may not actually need to use the passive in your writing. You can often avoid it by the use of the impersonal **man**, e.g 'Man putzt die Fenster.' 'Man hat das Auto repariert.' However, you might be asked to identify it in a passage and/or to show a basic knowledge of it in one of the grammar tasks.

Verbliste (*Verb list*)

(A list of the most common irregular verbs)

You should be familiar with the verbs in the following list. They will help you not only in the 'Angewandte Grammatik' section, but also with your understanding of the Reading Comprehension passages as well as your writing and speaking skills.

- The verbs marked with an asterisk (*) are conjugated with the verb **'sein'** in the perfect tense. All others are conjugated with **'haben'**. The verbs marked with a double asterisk (**) use either **'haben'** or **'sein'** depending on the context or meaning.

- The **pluperfect** (*Plusquamperfekt*) is not given, as it is formed in a similar way to the perfect, i.e. **same past participle** but with the **imperfect** tense of **'haben'** or **'sein'**.

- The **third person present tense** is also given to show you how certain verbs change in the present tense.

- Where there are several verbs with the same stem but a different prefix (for example, 'stehen, verstehen, entstehen, bestehen') only **one** example is given. All other verbs in this group are formed similarly. (For example, past participles are 'gestanden, verstanden, entstanden, bestanden'.) Only the prefix is different.

- **Separable verbs** are **not** listed. In these cases the prefix goes **before** the 'ge-': laden (*to load*) geladen; einladen (*to invite*) eingeladen.

Weak/Regular Verbs

Infinitive	Present	Imperfect	Perfect	English
machen	macht	machte	gemacht	*to do/make*

All weak/regular verbs follow this pattern.

Strong/Irregular Verbs

Infinitive	Present	Imperfect	Perfect	English
beginnen	beginnt	begann	begonnen	*to begin*
beißen	beißt	biss	gebissen	*to bite*
betrügen	betrügt	betrog	betrogen	*to deceive*
biegen	biegt	bog	gebogen	*to bend*
bieten	bietet	bot	geboten	*to offer*
binden	bindet	band	gebunden	*to tie*
bitten	bittet	bat	gebeten	*to ask/request*
blasen	bläst	blies	geblasen	*to blow*
bleiben	bleibt	blieb	geblieben*	*to stay/remain*
brechen	bricht	brach	gebrochen	*to break*
brennen	brennt	brannte	gebrannt	*to burn*
bringen	bringt	brachte	gebracht	*to bring*
denken	denkt	dachte	gedacht	*to think*
dürfen	darf	durfte	gedurft	*to be allowed*
empfehlen	empfiehlt	empfahl	empfohlen	*to recommend*
essen	isst	aß	gegessen	*to eat*
fahren	fährt	fuhr	gefahren**	*to go/travel*
fallen	fällt	fiel	gefallen*	*to fall*
fangen	fängt	fing	gefangen**	*to catch*

Infinitive	Present	Imperfect	Perfect	English
finden	findet	fand	gefunden	to find
fliegen	fliegt	flog	geflogen**	to fly
fliehen	flieht	floh	geflohen*	to flee
fließen	fließt	floss	geflossen*	to flow
frieren	friert	fror	gefroren**	to freeze
geben	gibt	gab	gegeben	to give
gehen	geht	ging	gegangen*	to go
gelingen	gelingt	gelang	gelungen*	to succeed
genießen	genießt	genoss	genossen	to enjoy
geschehen	geschieht	geschah	geschehen*	to happen
gewinnen	gewinnt	gewann	gewonnen	to win
graben	gräbt	grub	gegraben	to dig
greifen	greift	griff	gegriffen	to grasp
haben	hat	hatte	gehabt	to have
halten	hält	hielt	gehalten	to stop
hängen	hängt	hing	gehangen	to hang
heben	hebt	hob	gehoben	to lift
heißen	heißt	hieß	geheißen	to be called
helfen	hilft	half	geholfen	to help
kennen	kennt	kannte	gekannt	to know (person or place)
kommen	kommt	kam	gekommen*	to come
können	kann	konnte	gekonnt	to be able to
laden	lädt	lud	geladen	to load
lassen	lässt	ließ	gelassen	to let/allow
laufen	läuft	lief	gelaufen*	to run
leiden	leidet	litt	gelitten	to suffer
leihen	leiht	lieh	geliehen	to lend/borrow
lesen	liest	las	gelesen	to read
liegen	liegt	lag	gelegen	to lie
lügen	lügt	log	gelogen	to tell a lie
meiden	meidet	mied	gemieden	to avoid
misslingen	misslingt	misslang	misslungen*	to fail
mögen	mag	mochte	gemocht	to like
müssen	muss	musste	gemusst	to have to
nehmen	nimmt	nahm	genommen	to take
nennen	nennt	nannte	genannt	to name
raten	rät	riet	geraten	to guess
reiten	reitet	ritt	geritten**	to ride
reißen	reißt	riss	gerissen	to rip/tear
rennen	rennt	rannte	gerannt*	to run/race
riechen	riecht	roch	gerochen	to smell
rufen	ruft	rief	gerufen	to call
scheiden	scheidet	schied	geschieden**	to separate
scheinen	scheint	schien	geschienen	to shine
schieben	schiebt	schob	geschoben	to push
schlafen	schläft	schlief	geschlafen	to sleep
schlagen	schlägt	schlug	geschlagen**	to hit/strike/defeat
schließen	schließt	schloss	geschlossen**	to close/shut
schneiden	schneidet	schnitt	geschnitten	to cut
schreiben	schreibt	schrieb	geschrieben	to write
schreien	schreit	schrie	geschrien	to cry/shout
schwimmen	schwimmt	schwamm	geschwommen*	to swim
sehen	sieht	sah	gesehen	to see
sein	ist	war	gewesen*	to be

Infinitive	Present	Imperfect	Perfect	English
senden	sendet	sandte	gesandt	*to send*
sitzen	sitzt	saß	gesessen	*to sit*
sollen	soll	sollte	gesollt/sollen	*ought to*
sprechen	spricht	sprach	gesprochen	*to speak*
stehen	steht	stand	gestanden	*to stand*
stehlen	stiehlt	stahl	gestohlen	*to steal*
steigen	steigt	stieg	gestiegen*	*to climb*
sterben	stirbt	starb	gestorben*	*to die*
stoßen	stößt	stieß	gestoßen	*to push*
streichen	streicht	strich	gestrichen	*to paint*
tragen	trägt	trug	getragen	*to wear/carry*
treffen	trifft	traf	getroffen	*to meet/hit*
treiben	treibt	trieb	getrieben	*to do (e.g. sport)*
treten	tritt	trat	getreten**	*to step/kick*
trinken	trinkt	trank	getrunken	*to drink*
tun	tut	tat	getan	*to do*
überwinden	überwindet	überwand	überwunden	*to overcome*
vergessen	vergisst	vergaß	vergessen**	*to forget*
verlieren	verliert	verlor	verloren**	*to lose*
verschwinden	verschwindet	verschwand	verschwunden*	*to disappear*
verzeihen	verzeiht	verzieh	verziehen**	*to forgive/pardon*
wachsen	wächst	wuchs	gewachsen*	*to grow*
waschen	wäscht	wusch	gewaschen*	*to wash*
weisen	weist	wies	gewiesen	*to show*
wenden	wendet	wandte	gewendet/gewandt	*to turn*
werben	wirbt	warb	geworben	*to advertise*
werden	wird	wurde	geworden*	*to become*
werfen	wirft	warf	geworfen	*to throw*
wiegen	wiegt	wog	gewogen	*to weigh*
wissen	weiß	wusste	gewusst	*to know (information)*
wollen	will	wollte	gewollt	*to want*
ziehen	zieht	zog	gezogen	*to pull*

4 Written Comment (*Äußerung zum Thema*)

aims

- To help you to prepare for the 'Äußerung zum Thema' task that follows one of the Reading Comprehension passages.
- To explain with advice and tips the requirements of this task.
- To show you with sample answers how to gain maximum marks in the area of content and language.

The 'Äußerung zum Thema' section is worth 25 marks.

REMEMBER:

1 Give **equal attention** to each bullet point.

2 Make sure you give the **correct number** of details required.

3 Try to be as **accurate** as possible. If you find something too difficult to express, try **breaking it down** into two or three **shorter sentences**.

4 **Check over** what you have written. Make sure you have covered **all the points**. Check your **spelling, verb endings, tenses, word order**, etc.

Timing

Spend approximately **20–25 minutes** on this part. Of the **two** written tasks on your paper, this is the **shortest** and carries **fewer marks** (half the marks awarded to the 'Schriftliche Produktion').

Half the marks in this section are awarded to **content**.

Exam question

The following question is based on the 2009 comprehension passage '**Wild, wilder, Berlin: Wildtiere in der Großstadt**' page 67).

Bearbeiten Sie (a) oder (b):
(a) **Warnplakat: Wildtiere in der Stadt**

Sehen Sie sich das Bild rechts an.

- Warum passt das Foto gut auf ein Warnplakat über Wildtiere in der Stadt? Geben Sie **zwei** Gründe an.

- Geben Sie **drei** Beispiele für gefährliche Situationen, die durch Wildtiere in der Stadt entstehen können.

- Was sollten Menschen Ihrer Meinung nach machen, wenn sie Wildtieren in der Stadt begegnen? Machen Sie **drei** Vorschläge.

(100 Wörter)

Make **use of** the German that is given to you in the question, as in the sample answer below: 'Das Foto passt gut auf ein Warnplakat …' This helps to get you started.

Sample answer

Das Foto passt aus zwei Gründen gut auf ein Warnplakat über Wildtiere in der Stadt. Erstens sieht man deutlich, dass Tiere über die Straße gehen. Zweitens sieht man den Verkehr. Man weiß daher, dass man in der Stadt ist. Es gibt nämlich viel Verkehr und die Tiere überqueren ruhig die Straße, ohne Rücksicht auf den Verkehr. Wenn man die Tiere und den Verkehr auf dem gleichen Foto sieht, weiß man gleich, dass man vorsichtig sein muss.

Viele gefährliche Situationen könnten entstehen. Tiere kennen keine Verkehrsregeln! Sie gehen einfach über die Straße und passen nicht auf die Autos auf, die vorbeifahren. Ein Autofahrer könnte leicht ein Tier überfahren und der Fahrer könnte sich dabei schwer verletzen. Eine gefährliche Situation würde auch entstehen, wenn der Autofahrer das Tier erst in letzter Minute sieht. Er würde versuchen, das

Tier zu vermeiden, und vielleicht auf den Bürgersteig fahren, wo Menschen vorbeigehen. Dabei könnten andere Menschen schwer verletzt werden oder sogar ums Leben kommen. Wildtiere sind fremd in der Stadt. Sie könnten einen Menschen, vielleicht ein Kind, attackieren und das wäre schlimm.

Wenn Menschen Wildtieren in der Stadt begegnen, sollten sie möglichst ruhig bleiben, damit sie die Tiere nicht erschrecken. Zweitens sollten sie möglichst schnell von den Tieren wegkommen! Drittens sollten sie die Polizei anrufen. Die Polizei könnte Autofahrer und Fußgänger vor der Gefahr warnen.

Note the use of the phrase 'aus zwei Gründen' (for two reasons). This might be a useful phrase to learn as it can be used with other numbers (e.g. 'aus drei Gründen').

(b) **Mensch und Haustier**

Sehen Sie sich das Bild rechts an.

- Welchen Service bietet so ein Tiertaxi-Unternehmen an? Geben Sie **zwei** Gründe dafür, warum man ein Tiertaxi bestellen würde.
- Was sollte man bedenken, bevor man sich für ein Haustier entscheidet? Nennen Sie **drei** Dinge.
- Viele Deutsche halten sich exotische Tiere, z. B. eine Schlange, in der Wohnung. Nennen Sie **drei** Gründe, warum Sie das gut/nicht gut finden.

(100 Wörter)

Sample answer

Ein Taxiservice ist sehr nützlich. Wenn ein Tier krank wird, muss man es vielleicht zum Tierarzt bringen. Ohne Auto wäre das nicht so einfach. Man könnte ein Tiertaxi bestellen! Ein Taxi könnte das Tier überall hintransportieren – in die Stadt, zum Flughafen, auf das Land (wenn man mit dem Tier in die Natur gehen will) oder zu Freunden, die man besuchen will.

Bevor man sich für ein Haustier entscheidet, muss man vieles überlegen. Ein Tier muss gefüttert werden. Man muss dafür sorgen, dass es genug zu essen und zu trinken hat. Wenn das Tier krank wird, muss man es zum Tierarzt bringen. Das kostet Geld! Dies muss man bedenken. Man muss auch an den Familienurlaub denken. Wer passt auf das Tier auf, wenn man ins Ausland reist? Das ist sehr wichtig. Man muss auch bereit sein, mit dem Tier Zeit zu verbringen, zum Beispiel mit dem Hund spazieren zu gehen.

Exotische Tiere zu Hause? Nein danke! Erstens sind sie nicht in ihrem natürlichen Umfeld. Sie brauchen ihre eigene Umgebung. Zweitens können sie gefährlich sein. Eine Schlange könnte einen Menschen beißen. Drittens braucht man viel Zeit, um richtig auf sie aufzupassen. Sie haben vielleicht besondere Bedürfnisse. Das Futter, der Lebensraum und das Klima spielen alle eine große Rolle.

Sample question 1

The following 'Äußerung zum Thema' question is based on the comprehension passage **'Das Geschäft mit dem Kaffee'** (page 73).

Bearbeiten Sie (a) oder (b).

(a) **Fairer Handel, Kinderarbeit**

- In vielen Entwicklungsländern arbeiten arme Leute für sehr wenig Geld, während die großen internationalen Konzerne, die ihre Produkte kaufen, immer reicher werden. Wie finden Sie das? Begründen Sie Ihre Antwort.
- Was ist fairer Handel? Wo in Irland kann man fair gehandelten Kaffee kaufen? Geben Sie Beispiele für andere fair gehandelte Produkte an.
- Warum müssen Kinder in der Dritten Welt oft arbeiten und welche Nachteile hat das für die Kinder? Nennen Sie **drei** negative Folgen.

(100 Wörter)

Oder:

(b) Wohlstand, Armut

- „Die Welt ist sehr ungleich und die Kluft zwischen Arm und Reich wird tiefer." Was meinen Sie zu dieser Aussage? Begründen Sie Ihre Antwort.
- Wie können reiche Länder den Entwicklungsländern helfen? Schlagen Sie **drei** Hilfsmethoden vor.
- Warum gibt es Ihrer Meinung nach Armut in Irland? Nennen Sie **drei** mögliche Ursachen.

(100 Wörter)

After you have chosen the topic you are going to write about, look carefully at the points you have to cover. If you choose (a), you presumably have a reasonably good understanding of the text as the topic is closely related to the topic in the text. If you choose (b), the topic, while still related, is more general. In both cases you are asked to cover **specific points** with a **required number** of details/examples.

(a) You are asked to give your opinion on the exploitation of workers in the Third World. **Two or three sentences would suffice.**

The next bulleted point has **three** tasks: What is fair trade? Where can you buy fair trade coffee in Ireland? Give examples of other fair trade products. Answer each question simply and **stay on the point.**

The final bulleted point asks you to say **why** children in the Third World have to work and to mention **three negative consequences** of child labour (*Kinderarbeit*). Lost childhood, health problems and lack of education would be the most obvious answers.

> **Do not omit any point**, no matter how little you feel you have to write about it. Marks are awarded for **each point covered.**

(a) Fairer Handel, Kinderarbeit

Sample answer

Ich finde es ungerecht, dass die reichen Länder der Welt die ärmeren Länder so ausbeuten. Die Arbeiter in armen Ländern sollten einen gerechten Preis für ihre Produkte bekommen. In den Industrieländern werden die Leute immer reicher, während die Menschen in der Dritten Welt ärmer werden. Das ist eine Schande.

Fairer Handel bedeutet mehr Geld für die Kleinbauern und Arbeiter in den Entwicklungsländern. Wenn wir fair gehandelte Produkte kaufen, sind wir sicher, dass diese Arbeiter einen fairen Preis bekommen. Glücklicherweise kann man fair gehandelten Kaffee in den meisten Supermärkten in Irland kaufen. Andere fair gehandelte Produkte sind Tee, Kakao, Schokolade und Honig.

Leider müssen Kinder in der Dritten Welt oft arbeiten, weil ihre Familien so arm sind. Sie arbeiten sicher nicht freiwillig, aber oft verdienen sie den Lebensunterhalt für die Familie. Kinderarbeit hat mehrere Nachteile für die Kinder. Erstens haben sie keine richtige Kindheit. Sie spielen nicht genug. Zweitens ist die körperlich schwere Arbeit oft ungesund. Drittens gehen sie nicht zur Schule und können deshalb nicht richtig lesen und schreiben.

(b) The second option is a more general topic on prosperity and poverty ('Wohlstand', 'Armut') in the world today. Firstly, you are asked to give your opinion (*Was meinen Sie*) on the deepening gulf between rich and poor and to give **reasons** for your answer. (*Begründen Sie Ihre Antwort!*)

Secondly, you are asked to suggest **three** ways in which wealthy countries can help developing countries.

Thirdly you are asked to explain **why** there is poverty in Ireland by giving **three** possible causes.

exam focus

> It is useful to know that out of the **25 marks**, **13** are allotted to **content**. It is relatively easy to get **full marks** for content provided you cover the points and your comments are relevant.

(b) Wohlstand, Armut

Sample answer

Ich bin mit dieser Aussage einverstanden. Heute werden mehr Lebensmittel produziert, als für die ganze Welt ausreichend wären. Trotzdem hungern Leute. Die Reichen werden reicher und die Armen werden ärmer. Die Regierungen der Industrieländer sollten den Reichtum in der Welt besser verteilen und die Armut beseitigen.

Die Industrieländer könnten viel tun, um den Entwicklungsländern zu helfen. Erstens könnten sie den ärmsten Ländern mehr Geld geben, um die Armut zu bekämpfen. Es ist nicht akzeptabel, dass einige Menschen hungern, während andere zu viel haben. Zweitens könnten sie die Schulden der Entwicklungsländer tilgen. Viele Länder werden nie in der Lage sein, ihre Schulden zurückzuzahlen. Drittens könnte man mehr Berater, Ausbilder, Ingenieure und Ärzte in die Entwicklungsländer entsenden. „Hilfe zur Selbsthilfe" ist ein gutes Motto.

In Irland haben wir auch arme Leute. Leute sind aus verschiedenen Gründen arm. Während einer Rezession werden viele Leute arbeitslos und sind auf Arbeitslosengeld angewiesen. Oft reicht das nicht, um zu leben. Manchmal haben sie zu viel Geld von der Bank geliehen und können es nicht zurückzahlen. Die Lebenshaltungskosten sind auch wahnsinnig hoch. Jeden Monat kommen die Rechnungen für den Haushalt und viele Familien finden es schwer, eine Wohnung, Essen und Kleider zu kaufen.

Vocabulary

der Wohlstand *prosperity*	in der Lage sein *to be able to/to be capable*
beseitigen *to wipe out*	*of*
Entwicklungsländer (*npl.*) *developing*	Berater (*mpl.*) *advisors*
countries	auf etwas angewiesen sein *to be dependent*
die Armut bekämpfen *to fight poverty*	*on something*
Schulden tilgen *to cancel debts*	

Sample question 2

The following 'Äußerung zum Thema' is based on the theme of '**Bedrohte Sprachen**' (pages 77–78), a text that deals with the decline of many minority languages.

Bearbeiten Sie (a) oder (b).

(a) **Minderheitensprachen**

- Geben Sie **drei** Gründe an, warum man eine Minderheitensprache bewahren sollte.

- Viele Minderheitsprachen sterben aus. Meinen Sie, dass Irisch auch aussterben könnte? Wie können wir das verhindern? Machen Sie **zwei** Vorschläge.

- Sollte Irisch in der Schule Pflichtfach sein? Was meinen Sie? Begründen Sie Ihre Antwort mit **zwei** oder **drei** Argumenten.

(100 Wörter)

Sample answer

Wenn eine Sprache ausstirbt, verliert man auch einen Teil der Kultur. Das ist traurig. Um die Kultur eines Volkes zu bewahren, braucht man eine lebende Sprache. Die Sprache ist auch ein Teil der Identität eines Volkes. Leute sind mit dieser Sprache aufgewachsen und sind stolz darauf.

Ich hoffe, dass Irisch nicht aussterben wird. Aber nur sehr wenige Iren sprechen Irisch fließend und deshalb könnte die Sprache leider aussterben. Um die Sprachkenntnisse zu fördern, könnten wir mehr Grundschulen haben, in denen Irisch die Hauptsprache im Unterricht ist, die so genannten „Gaelscoileanna". Eine zweite Möglichkeit ist das Fernsehen. Wir haben glücklicherweise einen irischsprachigen Fernsehsender, TG4, und der ist sehr populär. Noch mehr Leute sollten sich TG4 anschauen.

Vielleicht sollte Irisch nur in den Grundschulen Pflichtfach sein. Ich glaube, dass alle irischen Kinder die Sprache lernen sollten. Aber in den höheren Schulen sollte Irisch ein Wahlfach sein. Wenn man die Sprache freiwillig lernt, hat man mehr Interesse daran.

Vocabulary

aussterben	*to die out*	stolz auf	*proud of*
bewahren	*to preserve*		

(b) Fremdsprachen

- Nennen Sie **drei** Gründe, warum man heutzutage eine Fremdsprache lernen sollte.
- Wie kann man am besten eine Fremdsprache lernen? Machen Sie **zwei** Vorschläge.
- „Englisch ist ein Muss, Deutsch ist ein Plus." Was meinen Sie dazu? Begründen Sie Ihre Antwort mit **zwei** Argumenten.

(100 Wörter)

In the following sample answer, note the use of the words 'erstens, zweitens, drittens' followed by the verb. They are easy to use. They also clarify the number of points required and help you to form a logical answer.

Sample answer

Fremdsprachen sind aus mehreren Gründen wichtig. Erstens sind sie für das Studium sehr wichtig. Wenn man in Irland an der Universität studieren will, braucht man in den meisten Fällen eine Fremdsprache. Zweitens ist eine Fremdsprache im Ausland sehr nützlich. Man kann sich zum Beispiel mit Franzosen oder mit Deutschen unterhalten. Drittens sind die Berufschancen besser. Man kann eine Zeitlang im Ausland arbeiten, wenn man die Sprache des Landes beherrscht.

Viele Schüler machen einen Schüleraustausch. Das ist eine tolle Möglichkeit, die Sprache zu lernen. Man lebt eine Zeitlang in dem Land, wo man nur Muttersprachler hört. Wenn das nicht möglich ist, kann man fremdsprachige Kassetten, CDs und Filme bekommen, die sehr nützlich sind.

Diese Aussage stimmt. Englisch ist eine Weltsprache und wird in vielen internationalen Bereichen benutzt. Deshalb ist sie für viele Berufe unentbehrlich. Aber Deutsch ist die Muttersprache von über achtzig Millionen Menschen. Wenn man sich mit den Leuten unterhalten will oder die Kultur eines Landes richtig genießen will, sind Sprachkenntnisse auf jeden Fall von Vorteil.

Vocabulary

aus mehreren Gründen *for several reasons*	beherrschen *to master*
in den meisten Fällen *in most cases*	unentbehrlich *essential*
sich unterhalten *to chat/converse*	

Sample question 3

This question is based on '**Das globalisierte Dienstmädchen**' (pages 81–82).

Bearbeiten Sie (a) oder (b).

(a) **Auswanderung**

- Warum müssen heute so viele Leute auswandern? Geben Sie **zwei** Gründe an.
- Für Ausländer, die sich in Irland niederlassen wollen, ist das Leben oft schwer. Nennen Sie **drei** Schwierigkeiten, die sie haben.
- Wie können wir das Leben für ausländische Arbeiter in Irland verbessern? Machen Sie **drei** Vorschläge.

(100 Wörter)

Sample answer

Viele Leute wandern aus, weil sie arbeitslos sind. Sie müssen daher eine Stelle in einem anderen Land finden. Während einer Rezession ist das oft der Fall. Leute fliehen manchmal vor Armut oder Verfolgung und wollen bessere Chancen für ihre Kinder. Manchmal wandern Leute aus, weil sie einfach Wanderlust haben. Sie wollen neue Länder, Kulturen und Sitten kennen lernen.

Mangelnde Sprachkenntnisse sind oft ein Problem für Leute, die nach Irland kommen. Englisch ist nicht ihre Muttersprache und es fällt ihnen schwer, sich zu verständigen. Ein zweites Problem ist die Unterkunft. Es ist schwer für sie, eine gute Unterkunft zu finden. Außerdem ist alles so teuer. Leider gibt es auch in Irland manchmal Vorurteile gegenüber Ausländern.

Erstens können wir ihnen helfen, die Sprache zu lernen. Wir können mehr Englischunterricht anbieten, damit sie sich schneller in die Gesellschaft integrieren. Wir sollten auch dafür sorgen, dass sie einen gerechten Lohn für ihre Arbeit bekommen. Vor allem sollten wir versuchen, Vorurteile abzubauen.

Vocabulary

die Verfolgung *persecution*	dafür sorgen *to make sure*
Sitten (*fpl.*) *customs*	gerecht *fair/just*
mangelnde Sprachkenntnisse (*fpl.*) *poor knowledge of the language*	der Lohn *wage*
	abbauen *to break down*
Vorurteile (*mpl.*) *prejudices*	

(b) **Die Stellung der Frau heute**

- Beschreiben Sie in **drei** bis **vier** Sätzen, was Sie auf dem Bild sehen.

- Gibt es eigentlich Gleichberechtigung für Frauen? Begründen Sie Ihre Antwort mit **zwei** oder **drei** Argumenten.

- Die berufstätige Frau hat es oft nicht leicht. Nennen Sie **drei** Schwierigkeiten, die sie hat.

(100 Wörter)

Sample answer

Auf dem Bild sieht man eine Frau, die sehr gestresst wirkt. Sie trägt ein Kostüm und in der linken Hand hält sie eine Aktentasche. Sie ist vielleicht Geschäftsfrau. Auf der anderen Seite sieht man drei kleine Kinder, um die sie sich kümmern muss. Sie findet es anscheinend schwierig, gleichzeitig berufstätig und Mutter zu sein.

Theoretisch gibt es Gleichberechtigung für Frauen. Aber in Wirklichkeit ist das nicht der Fall. Die meisten Politiker und Geschäftsführer sind immer noch Männer und Frauen haben weniger Aufstiegsmöglichkeiten in ihrem Beruf als ihre männlichen Kollegen. Wenn es um die Kinder geht, sind es meistens die Frauen, die die Erziehung übernehmen.

Tatsächlich hat eine berufstätige Frau zwei Tätigkeiten. Sie arbeitet tagsüber im Beruf und abends muss sie sich um die Kinder kümmern. Das ist anstrengend. Sie muss jemanden finden, der tagsüber auf die Kinder aufpasst und das kostet Geld. Wenn ein Kind krank wird, muss sie oft den Arbeitsplatz verlassen und dann wird ihr Chef (oder ihre Chefin!) sauer.

Vocabulary

die Aktentasche *briefcase*	Aufstiegsmöglichkeiten (*fpl.*) *promotion opportunities*
sich um die Kinder kümmern *to take care of the children*	die Erziehung *rearing (of children)*
anscheinend *apparently*	der Chef/die Chefin *boss*
die Gleichberechtigung *equal rights*	

- To help you to improve your writing skills.
- To prepare you for the two writing tasks, letter and opinion writing.

The **Written Production** section is worth 50 marks (12.5% of the total).

This section of the exam further tests your **writing skills** in German. You will already have written an 'Äußerung zum Thema' of approximately 100 words.

This task is longer (approximately **160 words**) and is awarded twice the amount of marks. You are given a **choice between two tasks**, one of which is a **letter**. The second task is sometimes a **response to a picture stimulus**.

In this part of the book you will find a lot of material to help you gain good marks for your writing. There are sample sentences on a wide range of topics, grouped under the relevant headings. These are written as suggested answers to questions in a letter and in the style of opinion writing. As many of the topics could arise in either written task, each topic is dealt with once only and the vocabulary given is relevant to both types of writing. Sample answers to both tasks from past exam papers are also included.

REMEMBER:

1 Choose your task wisely. Whether you choose the letter or the topic in the picture stimulus, make sure you choose the one where you can **most confidently use the language needed to deal with it.**

2 If you decide to do the letter, remember to have an **appropriate beginning and ending.**

3 Read the questions carefully and identify your task. Make sure to cover **each topic area** and **each question** within that topic area.

4 **Keep your writing simple.** If you find it difficult to get your point across in one complex sentence, try to break it down into two or three shorter sentences.

5 Leave some time to check over what you have written. Check **grammar** and **spelling** and make sure you have covered **all the necessary points.**

Timing

You should spend approximately **30 minutes** on this section. If you follow the timing advice given in all sections of the written paper, you should have approximately **10 minutes to check** your paper. **Do not worry** if you find you have exceeded the recommended time.

The advice with regard to timing in this book is only a **guideline**. The content of the examination varies from year to year.

Word order

In order to help you to write well and achieve a high degree of accuracy, it is important to master the basic rules of **grammar** and **word order**. The 'Angewandte Grammatik' section and the verb list will certainly help you. At this point, before you go through the various topics and sample answers, it is advisable to revise and become familiar with the rules of **German word order**. They are, as you know, quite different from English. The word order appears very complex but there are some basic rules to help you get it right.

- The **verb** is almost always the **second element** in a sentence. (The exception is in the case of some questions, e.g. 'Hast du einen Kuli?')

  Ich **spiele** nach der Schule Tennis.
  Nach der Schule **spiele** ich Tennis.
  Wenn ich nach der Schule Zeit habe, **spiele** ich Tennis.

In **all** three sentences the verb occupies the **second** position, not necessarily the second word.

- **Time ... Manner ... Place**

  In German, the sequence is **when** before **how** before **where**.
  Ich fahre **am Samstag mit dem Zug** nach Dublin.
  Wir gehen **jeden Tag zu Fuß** zur Schule.
  Nächstes Jahr werde ich **auf die Universität** gehen.

- In the **perfect** tense the auxiliary verb (part of 'haben' or 'sein') comes **second** and the **past participle** goes to the **end**.

  Ich **habe** meine Hausaufgaben **gemacht**.
  Wir **sind** nach Portugal **geflogen**.
  Meine Schwester **ist** gestern ins Kino **gegangen**.
  Mein Vater **hat** eine Stelle **bekommen**.

- In the **future** tense, the **conditional** tense and after **modal verbs**, the **infinitive** goes to the **end** of the sentence.

  (a) **Future:** Wir werden morgen nach Bonn **fahren**.
  Er wird einen Austausch **machen**.
  (b) **Modal verb:** Ich kann heute nicht ins Theater **gehen**.
  Wir müssen für das Abitur **lernen**.
  (c) **Conditional:** Ich würde gern eine Weltreise **machen**.
  Sie würde lieber ein neues Auto **kaufen**.

- Certain **link words** or **conjunctions** send the verb to the **end** of the clause. The more frequently used ones should be learned.

als *when/as*	dass *that*	sobald *as soon as*
als ob *as if*	nachdem *after*	solange *as long as*
bevor/ehe *before*	ob *if/whether*	während *while*
da *as/since*	obwohl *although*	weil *because*
damit *in order that*	so dass *so that*	wenn *if/whenever*

Ich muss dieses Jahr viel lernen, **weil** ich das Abitur **mache**.
Ich hoffe, **dass** es nicht regnen **wird**.
Wir sind spazieren gegangen, **obwohl** es stark **geregnet hat**.
Wenn ich gute Noten **bekomme,** werde ich auf die Universität gehen.
Weißt du, **ob** Peter heute **kommt**?

The following conjunctions **do not** affect the word order: **und, aber, oder, denn, sondern**.

In order to maximise your marks you must be as **accurate** as possible.

GRAMMAR CHECKLIST

- Pay attention to **word order**.
- Know the **gender** of common nouns.
- Revise thoroughly the most **frequently used verbs**.
- Be sure to use the **correct tenses**.
- Make each **verb agree** with its **subject**.
- Take care with **spelling**.
- Remember to give each **noun a capital letter**.

Letter

This task is usually a reply to a German letter on your paper. The questions in the letter often relate to your personal pursuits or interests, aspects of current Irish life and your personal opinion on various topical issues. There is a wealth of relevant vocabulary under various headings in the **Oral Examination** section of this book. Here you will find more sample answers and helpful ideas on how to develop points on more complex issues.

Although you are familiar with the layout of a letter in German since the Junior Certificate, here is a brief reminder followed by suggestions for suitable opening and closing sentences.

> Having an **appropriate beginning and ending is very important.**
> These are an integral part of the letter-writing task and are awarded **specific marks.**

Cork, den 17. Juni 2009

Liebe Jasmin,

wie geht's? Vielen Dank für deinen Brief ...

· ·

· ·

· ·

Schöne Grüße an deine Familie.

Schreib bald wieder.

Deine Anne

- The **opening greetings** needed are:
  Liebe (feminine):   Liebe Jasmin, ...
  Lieber (masculine): Lieber Jürgen, ...
  Liebe (plural):   Liebe Eltern, ...
- The **opening sentence** will depend on what is written in the German letter, but could be one of the following:
  Liebe/r...,
  vielen Dank für deinen letzten Brief.   *Thank you very much for your last letter.*

endlich habe ich Zeit, dir zu schreiben!	*At last I have time to write to you!*
entschuldige, dass ich nicht früher geschrieben habe.	*Sorry for not writing sooner.*
es tut mir leid, dass ich erst jetzt schreibe.	*I am sorry that I have not written until now.*
danke für deinen Brief, den ich heute bekommen habe.	*Thank you for your letter, which I received today.*
ich habe mich über deinen Brief gefreut.	*I was delighted with your letter.*
wie geht's dir? Hoffentlich gut.	*How are you? Well, I hope.*
prima, dass du nach Irland kommst.	*It's great that you are coming to Ireland.*

- Suitable **closing sentences** include the following:

Ich mache jetzt Schluss. Ich muss meine Hausaufgaben machen.	*I'll end now. I have to do my homework.*
Ich freue mich auf deinen nächsten Brief.	*I am looking forward to your next letter.*
Ich muss jetzt Schluss machen. Paul ist hier und wir wollen ins Kino.	*I'll have to end now. Paul is here and we are going to the cinema.*
Ich hoffe, dass ich deine Fragen gut beantwortet habe.	*I hope I have answered your questions well.*
Schreib bald wieder.	*Write back soon.*
Lass bald von dir hören.	*Let me hear from you soon.*
Erzähl mir alles!	*Tell me all.*
Meine Eltern lassen dich grüßen.	*My parents send their regards.*
Grüß deine Eltern von mir/Bestell schöne Grüße an deine Eltern.	*Give my regards to your parents.*
Viele liebe Grüße	*Very best wishes.*
Alles Gute!	*All the best!*
Bis bald	*Until soon.*
Bis dann	*Until then.*
Tschüs!	*Bye!*

- **Sign off** with:
  Dein (masculine)
  Deine (feminine)
  followed by name.

- For a **formal letter or note**, use
  (a) as a greeting: Sehr geehrte Damen und Herren   (*Dear Sir or Madam*)
  (b) formal pronouns: Sie, Ihr/Ihre, Ihnen   (*you, your, to you*)
  (c) for closing: Mit freundlichen Grüßen   (*Yours sincerely*)

Useful phrases

Here is a list of phrases to help you to express your opinion in **both** written tasks. You may find some more useful than others. **Select** those you think you might use. **Memorise** them and put them **into practice**. They can be used in a **variety** of topics.

Note: Many phrases contain '**dass**'. Remember it sends the verb to the **end** of the clause/sentence.

Ich finde es toll, dass ...	*I think it's great that ...*
Ich finde es schade, dass ...	*I think it's a pity that ...*
Ich finde es unvernünftig/empörend (usw.), dass ...	*I think it's unreasonable/outrageous (etc.) that ...*
Ich finde das ungerecht.	*I think that's unjust.*
Ich persönlich finde ...	*I personally think ...*
Das ist sinnvoll, finde ich.	*That is sensible, I think.*
Meiner Meinung nach ...	*In my opinion, ...*
Meiner Ansicht nach ...	*In my view, ...*
Für meine Begriffe ...	*In my opinion, ...*
Ich bin der Meinung, dass ...	*I am of the opinion that ...*
Ich glaube, dass ...	*I think that ...*
Ich glaube fest, dass ...	*I firmly believe that ...*
Ich glaube, das stimmt teilweise.	*I think that's partly true.*
Ich glaube, es liegt daran, dass ...	*I think the reason is ...*
Ich bezweifle, ob ...	*I doubt if ...*
Ich bin (nicht) überzeugt, dass ...	*I am (not) convinced that ...*
Ich bin (nicht) davon überzeugt.	*I am (not) convinced of that.*
Manche Experten meinen, dass ...	*Some experts think that ...*
einerseits	*on the one hand*
andererseits	*on the other hand*
Es wird oft behauptet, dass ...	*It is often stated that ...*
Es ist schwer zu glauben, aber ...	*It's hard to believe, however, that ...*
Man muss aber zugeben, dass ...	*One must admit, however, that ...*
Es lässt sich nicht leugnen, dass ...	*It cannot be denied that ...*
Tatsächlich aber ...	*In actual fact, however, that...*
In gewissem Maße ...	*To a certain extent ...*
Ich bin mit ... einverstanden.	*I agree with ...*
Es besteht die Gefahr, dass ...	*The danger exists that ...*
Um das Problem zu lösen, ...	*In order to solve the problem, ...*
Vor allem ...	*Primarily/above all ...*

Topics

The letter requires you to answer questions on different topics. The following examples will help you to approach possible questions. Remember to check the **Oral Examination** section for any vocabulary you may have forgotten.

As far as possible, try to give **equal** attention to each topic area. **Half** the marks are awarded to content, so an attempt to cover a topic is worthwhile, even if the language is poor. **If you ignore any topic you will not compensate by writing extensively on another one.**

Schule/Berufspläne (*School/career plans*)

Du hast geschrieben, dass du dieses Jahr deine Abschlussprüfung machst.	*You wrote that you are doing your final exam this year.*
Deine Schulzeit ist fast zu Ende!	*Your time in school is almost over!*
Wie findest du das?	*How do you feel about that?*
Ich mache erst nächstes Jahr Abitur.	*I am not doing the 'Abitur' until next year.*
Ich mache zwei Leistungskurse, Englisch und Deutsch.	*I'm doing higher level in two subjects, English and German.*
Hast du auch Leistungskurse?	*Are you also doing higher level courses?*
Gibt es viel Leistungsdruck in den Schulen?	*Is there much pressure to do well in schools?*

Meine Schulzeit ist fast zu Ende. Es ist kaum zu glauben!

Wie die Zeit vergeht!

Ich werde natürlich meine Klassenkameraden vermissen.

Aber ich freue mich auf die Universität.

Ich mache das „Leaving Cert" in sieben Fächern.

Ich habe fünf Fächer als Leistungskurs.

Ich habe Irisch und Mathe als Grundkurs, weil ich in diesen Fächern ziemlich schwach bin.

My time at secondary school is almost over. It is hard to believe.

How time flies!

I will, of course, miss my classmates.

But I'm looking forward to university.

I am doing seven subjects in the Leaving Cert.

I'm doing higher level in five subjects.

I am doing ordinary level in Irish and Maths because I'm quite weak at these subjects.

Ja, es gibt viel Leistungsdruck in den Schulen.	*Yes, there is a lot of pressure to do well at school.*
Ein guter Abschluss ist sehr wichtig für den zukünftigen Beruf.	*A good final exam is very important for one's future career.*
Einige Studienplätze sind sehr gefragt und man muss sehr viel pauken, um gute Noten zu bekommen.	*Some university places are very much in demand and you have to study hard to get good marks.*
Meiner Meinung nach legt man zu viel Wert auf die schriftlichen Prüfungen.	*In my opinion there is too much emphasis on the written exams.*
Viele Schüler werden um diese Zeit sehr ängstlich.	*Many pupils become very anxious at this time.*

Was willst du nach der Prüfung machen?	***What do you want to do after the exam?***
Wirst du nächstes Jahr von zu Hause ausziehen?	***Will you move out of home next year?***
Was machen die meisten jungen Iren nach dem „Leaving Cert"?	***What do most young Irish people do after the Leaving Cert?***

Ich habe mir bisher nicht viele Gedanken über meine Zukunft gemacht.	*I haven't given a lot of thought yet to my future.*
Ich muss mich bald entscheiden!	*I'll soon have to decide!*
Ich möchte vielleicht Journalismus studieren.	*I would like to study journalism, maybe.*
Ich habe mich für einen Studienplatz beworben.	*I've applied for a university place.*
Aber es kommt auf meine Noten an.	*But it depends on my marks.*
Ich werde wahrscheinlich von zu Hause ausziehen. Ich möchte selbständig sein.	*I will probably move out of home. I would like to be independent.*
Die meisten Schüler wollen sich nach der Schule weiterbilden.	*After school most pupils want to go on to further education.*
Viele gehen auf die Universität.	*Many go to university.*
Andere machen einen Ausbildungskurs oder eine Lehre.	*Others do a training course or an apprenticeship.*

In Deutschland gibt es den Numerus Clausus. Er regelt den Zugang zu bestimmten Studienfächern, zum Beispiel zu Medizin und Jura.

In Germany we have the 'Numerus Clausus'. It controls entry to certain faculties, such as medicine and law.

Wir bekommen im Abitur einen Notendurchschnitt.

We get an average mark in the 'Abitur'.

Wie ist es bei euch?

What's it like with you?

In Irland bekommt man Punkte im „Leaving Cert".

In Ireland you get points in the Leaving Cert.

Je besser die Noten, desto höher die Punktezahl.

The better the marks, the higher the number of points.

Für bestimmte Studienfächer, zum Beispiel Medizin und Jura, braucht man eine hohe Punktezahl.

For certain faculties, for example medicine and law, you need a high number of points.

In Deutschland gibt es das BAföG. Das ist eine finanzielle Unterstützung für Studenten aus einkommensschwachen Familien. Habt ihr so was in Irland auch?

In Germany there is 'BAföG'. That is financial support for students from families with low incomes. Do you have something similar in Ireland?

Einkommensschwache Familien können vom Staat finanzielle Unterstützung bekommen.

Einige Studenten nehmen einen Kredit bei der Bank auf und zahlen ihn nach dem Studium zurück, wenn sie berufstätig sind.

Families with low incomes can get financial support from the state.

Some students get a loan from the bank and pay it back after their studies when they are in employment.

Was sind die beliebtesten Berufe?

Wie bekommt man Informationen über verschiedene Berufe?

What are the most popular careers?

How can you get information about different careers?

Junge Iren haben sehr unterschiedliche Berufswünsche.

Viele Schüler interessieren sich für einen medizinischen Beruf, zum Beispiel Arzt oder Krankenpfleger.

Der Lehrerberuf ist in den letzten Jahren sehr populär geworden, hauptsächlich im Grundschulbereich.

Viele studieren Naturwissenschaften und wollen später in der Industrie arbeiten.

Informatik ist sehr beliebt, weil sie gute Berufschancen bietet.

Sprachbegabte Schüler können Sprachen studieren.

Sie werden vielleicht Übersetzer und haben später die Möglichkeit, im Ausland zu arbeiten.

Ein Beruf in den Medien ist für viele junge Leute sehr attraktiv.

Einige möchten Journalisten oder Fernsehmoderatoren werden.

Das sind Traumberufe für viele junge Menschen.

The career preferences of young Irish people are very varied.

Many pupils are interested in a medical career, for example, as a doctor or nurse.

The teaching career has become very popular in recent years, mainly in the primary school area.

Many study science and want to work in industry later.

Information technology is very popular, because it offers good career opportunities.

Those who are good at languages can study Applied Languages.

They may become translators and will have the opportunity to work abroad later.

A career in the media is very attractive to many young people.

Some would like to become journalists or television presenters.

They are dream careers for many young people.

Manchmal ist es schwer, eine Entscheidung zu treffen.	*Sometimes it is hard to make a decision.*
Wir haben in der Schule einen Berufsberater, der uns über verschiedene Studiengänge und Berufsmöglichkeiten informiert.	*In school we have a Career Guidance Counsellor who gives us information on different study courses and career ossibilities.*
Die Universitäten organisieren auch einen Tag der offenen Tür.	*The universities also organise an open day.*
Dort kann man sich über zahlreiche Studiengänge informieren.	*You can get information there about numerous courses.*
Wenn man das Übergangsjahr macht, kann man ein Berufspraktikum machen. Das ist sehr nützlich und hilft später bei der Berufsentscheidung.	*If you do Transition Year, you can do work experience. That is very useful and helps later with making a career decision.*

Habt ihr eine Abschlussfeier gehabt? Wenn ja, erzähl mir davon!	*Did you have a prize-giving day? If so, tell me about it!*

Wir hatten gegen Ende Juni eine Abschlussfeier.	*We had a prize-giving day towards the end of June.*
Schüler haben Preise für verschiedene Leistungen bekommen, zum Beispiel für Sport oder Debattieren.	*Students got awards for various achievements, for example, sport or debating.*
Der Schulleiter/Die Schulleiterin hat eine Rede gehalten.	*The principal gave a speech.*
Abends ist die ganze Abschlussklasse in eine Disko gegangen.	*In the evening the whole sixth-year class went to a disco.*
Wir haben viel Spaß gehabt.	*We had great fun.*

Freizeitbeschäftigung (*Leisure activities*)

Was sind die beliebtesten Freizeitaktivitäten in Irland?	**What are the most popular leisure activities in Ireland?**

In Irland sind Musikhören und Fernsehen sehr beliebt.

Listening to music and watching television are very popular in Ireland.

Viele junge Iren spielen ein Instrument.

Many young Irish people play an instrument.

Ich spiele Klavier, aber ich habe dieses Jahr wenig Zeit zu üben.

I play the piano but I don't have much time to practise this year.

Junge Leute lesen weniger als früher.

Young people read less than before.

Sie verbringen viel Zeit am Computer.

They spend a lot of time on the computer.

Aber die Harry-Potter-Bücher haben in letzter Zeit neues Interesse am Lesen geweckt.

But the Harry Potter books have recently awoken a new interest in reading.

Bei uns sind die beliebtesten Sportarten Fußball und Schwimmen. Weniger populär sind Angeln, Golf und Wandern. Für welche Sportarten interessieren sich junge Iren?	**The most popular sports here are football and swimming. Fishing, golf and hill-walking are less popular. What sports are young Irish people interested in?**

Mannschaftssportarten sind bei uns sehr populär, insbesondere Fußball.

Team sports are very popular here, especially football.

Viele irische Jugendliche haben eine Lieblingsmannschaft oder einen Fußballspieler, den sie bewundern.

Many young Irish people have a favourite team or a footballer whom they admire.

Tennis und Schwimmen sind auch sehr beliebt. Ich bin in einem Tennisverein und nehme oft an Wettbewerben oder an Turnieren teil.

Tennis and swimming are also very popular. I'm in a tennis club and I often take part in competitions or tournaments.

Jungen spielen sehr gern Fußball und immer mehr Mädchen tun das auch gern.

Boys love playing football and more and more girls also like playing it.

Golf und Angeln sind ziemlich populär.

Golf and fishing are quite popular.

Mein Bruder ist ein begeisterter Golffan.

My brother is an avid golf fan.

Wir haben viele Sportvereine in Deutschland und über 5000 Fitnesscenter! Wie ist das in Irland?	*We have a lot of sports clubs in Germany and over 5000 fitness centres/gyms. What's it like in Ireland?*

Wir haben auch viele Sportvereine und Fitnesscenter in Irland.

We also have a lot of sports clubs and fitness centres/gyms in Ireland.

Ich glaube, es liegt daran, dass die Leute sich heutzutage weniger bewegen.

I think the reason is that people don't move as much nowadays.

Sie fahren meistens mit dem Auto zur Arbeit und sitzen vor dem Computer.

They mostly travel by car to work and sit in front of the computer.

Viele haben Übergewicht.

Many are overweight.

In Irland hört und liest man viel über das Problem der Fettleibigkeit.

In Ireland we hear and read a lot about the problem of obesity.

Die Leute sind um ihre Gesundheit besorgt, daher nimmt die Zahl der Fitnesscenter zu.

People are worried about their health, therefore the number of gyms is increasing.

Du hast geschrieben, dass du im U2-Konzert warst. Das muss toll gewesen sein! Schreib mir was darüber!	*You wrote that you were at the U2 concert. That must have been great! Write to me about it.*

Ich war letzten Sommer mit zwei Freunden im U2-Konzert. Es hat im Croke Park in Dublin stattgefunden.

I was at the U2 concert last summer with two friends. It took place in Croke Park in Dublin.

Es war einfach toll.

It was simply great.

Wir hatten echt Glück, Karten zu bekommen. Sie waren so schnell ausverkauft!

We were actually lucky to get tickets. They were sold out so quickly.

Die Musik und die Stimmung waren fantastisch.

The music and the atmosphere were fantastic.

Es hat im Freien stattgefunden und zum Glück hat es nicht geregnet.

It took place in the open air and luckily it didn't rain.

Nebenjobs (*Part-time jobs*)

In Deutschland arbeiten viele Schüler nebenbei. Wie ist das in Irland?	*In Germany a lot of pupils work part-time. What's it like in Ireland?*
Was für Jobs machen sie?	*What types of jobs do they do?*
Was meinen die Eltern dazu?	*What do the parents think?*

In Irland arbeiten auch viele Schüler nebenbei.	*In Ireland many pupils also work part-time.*
Sie nutzen die Wochenenden und die Ferien dazu, ihr Taschengeld aufzubessern.	*They use the weekends and the holidays to improve their pocket money.*
Sie arbeiten meistens in Restaurants, Supermärkten und Geschäften.	*They mostly work in restaurants, supermarkets and shops.*
Es ist auf keinen Fall leicht, zur Schule zu gehen und gleichzeitig nebenbei zu arbeiten.	*It is certainly not easy to go to school and to work part-time at the same time.*
Viele Eltern ärgern sich darüber.	*Many parents are annoyed about it.*

Sie meinen, dass ihre Kinder die Hausaufgaben vernachlässigen.

They think their children are neglecting their homework.

Andere sind froh, dass ihre Kinder ihnen nicht immer auf der Tasche liegen!

Others are pleased that their children are not always dependent on them financially!

Ich persönlich finde es besser, während des Schuljahres nicht zu arbeiten.

I personally think it's better not to work during the school year.

Man sollte sich eher auf die Prüfungen konzentrieren.

It's better to concentrate on the exams.

Wir haben lange Sommerferien und können diese Zeit nutzen, um Geld zu verdienen.

We have long summer holidays and can use this time to earn money.

Ich hoffe, in den kommenden Sommerferien einen Nebenjob zu finden.

I hope to find a job in the coming summer holidays.

Meine Freunde und ich wollen im August in Urlaub fahren.

My friends and I want to go on holiday in August.

Ich werde viel Geld brauchen!

I will need a lot of money!

Tourismus (*Tourism*)

Meine Eltern haben vor, diesen Sommer zwei Wochen in Irland zu verbringen.
Was würdest du ihnen empfehlen?
Gibt es gute Museen oder Kunstausstellungen?

My parents intend to spend two weeks in Ireland this summer.
What would you recommend to them?
Are there good museums or art exhibitions?

Ich finde es toll, dass deine Eltern nach Irland kommen wollen.

I think it's great that your parents want to come to Ireland.

Sie sollten auf jeden Fall die Hauptstadt Dublin besichtigen.
Dort befinden sich die Nationalgalerie und interessante Museen.

They should certainly visit the capital city, Dublin.
There they will find the National Gallery of Ireland and interesting museums.

Es lohnt sich auch, das berühmte Book of Kells im Trinity College anzuschauen.
In der Hauptstraße, der O'Connell Street, sieht man den „Spire", das neue Wahrzeichen Dublins.

It's also worth seeing the famous Book of Kells in Trinity College.
On the main street, on O'Connell Street, you can see the 'Spire', Dublin's new landmark.

Für meine Begriffe ist es hässlich! Aber das ist Geschmacksache.	*In my opinion it's horrible! But that's a matter of taste.*
Es gibt auch schöne, belebte Einkaufsstraßen.	*There are also lovely lively shopping streets.*
Man kann auch eine Stadtrundfahrt mit dem Bus machen. Dabei bekommt man einen guten Überblick über die Sehenswürdigkeiten.	*You can also do a sightseeing tour of the city by bus. That way you get a good overview of the tourist sites.*

Meine Eltern möchten auch die schöne irische Landschaft sehen. Was ist deiner Meinung nach besonders sehenswert? Irland wird oft die Grüne Insel genannt. Ist die Insel wirklich so grün?	***My parents would also like to see the beautiful Irish countryside. What is particularly worth seeing in your opinion? Ireland is often called the Emerald Isle. Is the island really that green?***

Was die Landschaft betrifft, würde ich besonders West- und Südwestirland empfehlen.	*As far as the countryside is concerned, I would particularly recommend the west and south-west of Ireland.*
Dort ist die Landschaft am herrlichsten und die Natur relativ unberührt.	*The countryside is the most stunning there and nature relatively unspoilt.*
In Westirland gibt es auch viele Kneipen, in denen man traditionelle irische Musik hören kann.	*In the west of Ireland there are also a lot of pubs where you can hear traditional Irish music.*

Irland – die Grüne Insel? Die Bezeichnung stimmt teilweise.	*Ireland – the Emerald Isle? The description is partly true.*
Es regnet viel in Irland und das macht die Insel grün.	*It rains a lot in Ireland and that makes the island green.*
Aber in den letzten Jahren ist viel gebaut worden und man sieht deshalb weniger von dem Grün.	*In recent years, however, there has been a lot of building and consequently you see less green.*

Ich habe gehört, dass Irland sehr teuer sein soll. Stimmt das tatsächlich?	***I heard that Ireland is supposed to be very expensive. Is that actually true?***
Würdest du ein Hotel oder eine Frühstückspension empfehlen?	***Would you recommend a hotel or a Bed and Breakfast?***

Ja, Irland ist in den letzten Jahren sehr teuer geworden.	*Yes, Ireland has become very expensive in recent years.*
Man kann aber trotzdem gute Restaurants finden, wo man preiswert essen kann.	*But you can still find good restaurants where you can eat inexpensively.*

Ich würde eine Frühstückspension empfehlen.
Es gibt viele gute Pensionen hier.
Sie sind billiger als Hotels und werden
  normalerweise von gastfreundlichen
  Familien geführt.

I would recommend a Bed and Breakfast.
There are many good guest-houses here.
They are cheaper than hotels and they
  are normally run by hospitable families.

Wie wichtig ist eigentlich der Tourismus für Irland?

How important is tourism actually for Ireland?

Der Tourismus ist eine sehr wichtige Industrie,
  von der die irische Wirtschaft profitiert.
Für viele Ausländer ist Irland ein sehr beliebtes
  Reiseziel (trotz des unzuverlässigen Wetters!).

Tourism is a very important industry
  and the Irish economy profits from it.
For many foreigners Ireland is a very
  popular travel destination (despite
  the unreliable weather!).

Die Küste von Antrim ist herrlich und bietet
  viele Möglichkeiten.
Manchmal kommen auch Leute hierher, um Golf
  zu spielen, denn wir haben schöne Golfplätze.
Für begeisterte Angler haben wir auch schöne
  Flüsse und Seen.

The Antrim coast is magnificent and
  offers lots to do.
Sometimes people also come here to play
  golf as we have lovely golf courses.
For enthusiastic fishermen we also have
  beautiful rivers and lakes.

Das neue Irland (*The new Ireland*)

Wie hat sich Irland in den letzten Jahren verändert?	**How has Ireland changed in recent years?**

Irland hat sich in den letzten Jahren sehr verändert.

Ireland has changed a lot in recent years.

Früher war Irland sehr arm.

Ireland used to be very poor.

Viele Iren mussten in den sechziger, siebziger und sogar in den achtziger Jahren emigrieren.

Many Irish people had to emigrate in the sixties, seventies and even in the eighties.

Viele Studenten fanden nach dem Studium keine passende Arbeitsstelle und mussten oft im Ausland Arbeit suchen.

Many students did not find suitable employment after their studies and often had to seek work abroad.

In den neunziger Jahren wurde Irland reicher.

In the nineties Ireland became richer.

Die Wirtschaft war in vollem Schwung.

The economy was going very well.

Viele Einwanderer kamen nach Irland.

Many immigrants came to Ireland.

Viele kamen aus wirtschaftlichen Gründen.

Many came for economic reasons.

Sie wollten sich hier niederlassen und arbeiten.

They wanted to settle and work here.

Sie wollten einen besseren Lebensstandard genießen.

They wanted to enjoy a better standard of living.

Andere sind vor Verfolgung in ihrem eigenen Land geflohen.

Others fled from persecution in their own country.

Ich finde es schön, dass Irland so multikulturell geworden ist.

I think it's lovely that Ireland has become so multicultural.

Hat der Reichtum der letzten Jahrzehnte Probleme mit sich gebracht?	**Has the wealth of recent decades brought problems?**

Es lässt sich nicht leugnen, dass die irische Gesellschaft heute wohlhabender ist.

It cannot be denied that Irish society is better off today.

Aber das Land wurde von der globalen Rezession betroffen.

But the country was affected by the global recession.

Die irische Wirtschaft hat einen Rückgang erlitten.

The Irish economy has suffered a downturn.

Viele Leute sind arbeitslos geworden.

Many people have become unemployed.

Sie sind auf Arbeitslosengeld angewiesen.

They are dependent on unemployment benefit.

Viele junge Iren müssen auswandern, um eine Stelle zu finden.

Many young Irish people have to emigrate to find a job.

Viele Familien finden es schwer, ihren Lebensunterhalt zu verdienen.

Many families find it difficult to earn a living.

Es es gibt auch Armut in Irland.	*There is also poverty in Ireland.*
Es ist schwer zu glauben, aber wir haben noch Obdachlose in unserer Gesellschaft.	*It is hard to believe but we still have homeless people in our society.*
Obdachlosigkeit ist ein großes Problem in den Großstädten, da die Unterkunft dort sehr teuer ist.	*Homelessness is a big problem in the cities as accommodation is very expensive there.*
Für die Behinderten in unserer Gesellschaft ist das Leben auch nicht leicht.	*Life is also not easy for the disabled in our society.*
Meiner Meinung nach wird nicht genug für Behinderte getan.	*In my opinion there is not enough being done for disabled people.*
In öffentlichen Gebäuden werden ebenso wie in Schulen mehr Fahrstühle und Rampen für Rollstühle gebraucht.	*In public buildings as well as in schools we need more lifts and ramps for wheelchairs.*
Behinderte haben ein Recht auf gute Bildung und gute Berufsmöglichkeiten.	*Disabled people have a right to a good education and good career opportunities.*
Kinderbetreuung ist ein Problem für berufstätige Eltern.	*Childcare is a problem for working parents.*
Wir haben nicht genug Kindertagesstätten.	*We don't have enough crèches/day care centres.*
Wir haben mehr Verkehrsprobleme, mehr Staus.	*We have more traffic problems, more congestion.*
Viele Arbeiter müssen jeden Tag eine lange Strecke zur Arbeit fahren.	*Many workers have to travel a long distance to work every day.*

Wie sieht die Zukunft für junge Iren aus?	*How does the future look for young Irish people?*
Wie siehst du deine Zukunft?	*How do you see your future?*
Möchtest du in Irland bleiben oder im Ausland arbeiten?	*Would you like to stay in Ireland or work abroad?*

Einerseits sieht die Zukunft sehr gut aus.	*On the one hand the future looks good.*
Wir haben ein gutes Bildungsniveau.	*We have a good standard of education.*
Viele junge Iren haben eine gute Hochschulbildung.	*Many young Irish people have a good university education.*
Deswegen sollten sie gute Berufschancen haben.	*So they should have good career opportunities.*
Andererseits müssen viele auswandern, um eine gute Stelle zu finden.	*On the other hand, many have to emigrate to find a good job.*
Ich weiß noch nicht genau.	*I don't know exactly yet.*
Wenn die Wirtschaftslage gut ist, werde ich in Irland bleiben.	*If the economic situation is good, I will stay in Ireland.*

Es kommt auf meine Berufsaussichten an.	*It depends on my career prospects.*
Vielleicht werde ich eine Zeitlang im Ausland verbringen.	*I might spend some time abroad.*

Irland wurde einmal das Land der hunderttausend Willkommen genannt. Stimmt das heute noch?	**Ireland was once called the land of the hundred thousand welcomes. Is that still true today?**

Ich bezweifle, ob das heute noch ganz stimmt.	*I doubt if that is quite true today.*
Es gibt leider einige Ausländerfeindlichkeit, sogar Rassismus.	*Unfortunately, there is some hostility towards foreigners, even racism.*
Es gibt manchmal Vorurteile gegenüber ethnischen Minderheiten.	*There are sometimes prejudices against ethnic minorities.*
Aber die meisten Iren sind gastfreundlich.	*But most Irish are hospitable.*
Sie wollen ein friedliches Zusammenleben aller Menschen.	*They want all people to live peacefully together.*
Ich finde es wichtig, dass wir uns über andere Kulturen besser informieren.	*I think it's important that we are better informed about other cultures.*
Niemand sollte Rassismus dulden.	*Nobody should tolerate racism.*

Soziale Probleme (*Social problems*)

Ich habe gelesen, dass Irland ein allgemeines Rauchverbot in allen öffentlichen Gebäuden, Restaurants und Kneipen eingeführt hat. Wie findest du das?
In Deutschland rauchen immer noch viele Leute trotz des Gesundheitsrisikos. Wie ist das in Irland?

I read that Ireland has introduced a general ban on smoking in all public buildings, restaurants and pubs. What do you think of that?
In Germany many people still smoke despite the health risk. What's it like in Ireland?

Ich bin für das Rauchverbot.
Für Nichtraucher bestand immer die Gefahr des Passivrauchens.
Jetzt können sie eine rauchfreie Atmosphäre in der Kneipe genießen.
Ich glaube, die meisten Iren sind mit dem Rauchverbot zufrieden.
Man gewöhnt sich daran!
Mehr Leute haben sich inzwischen bemüht, mit dem Rauchen aufzuhören.

I agree with the smoking ban.
For non-smokers there was always the danger of passive smoking.
Now they can enjoy a smoke-free atmosphere in the pub.
I think most Irish people are satisfied with the smoking ban.
You get used to it!
Meanwhile, more people have tried to stop smoking.

Die Experten meinen, das Lungenkrebsrisiko sei hier jetzt geringer.	*The experts think that the risk of lung cancer here is now reduced.*
Ich rauche nicht, hauptsächlich weil es ungesund ist.	*I don't smoke, mainly because it is unhealthy.*
Ich habe aber viele Freunde, die rauchen.	*However, I have many friends who smoke.*
Viele irische Jugendliche rauchen, wenn sie unter Stress stehen und sich entspannen wollen.	*Many young Irish people smoke when they are stressed and want to unwind.*
Für viele ist es einfach eine Gewohnheit.	*For many it is simply a habit.*
Leider ist es für viele eine Sucht geworden.	*Unfortunately, for many it has become an addiction.*

Trinken viele junge Iren? / Do many young Irish people drink?

Ja, wie anderswo in der Welt scheint Alkohol in Irland eine wichtige Rolle zu spielen, besonders bei Jugendlichen.	*Yes, as elsewhere in the world, alcohol seems to play an important part in Ireland, especially among young people.*
Meiner Meinung nach trinken mehr junge Leute als früher.	*In my opinion more young people are drinking than before.*
Ich glaube, es liegt daran, dass sie mehr Geld haben.	*I think it's because they have more money.*
Viele junge Leute haben Nebenjobs und gehen öfter in die Kneipe.	*Many young people have part-time jobs and go to the pub more often.*
An Wochenenden ist es am schlimmsten.	*It's worst at weekends.*
Der Alkoholmissbrauch führt manchmal zu Schlägereien auf der Straße.	*The abuse of alcohol sometimes leads to fights/brawls on the street.*
Leute machen manchmal eine Sauftour.	*Sometimes people go on a drinking binge/pub crawl.*
Sie betrinken sich und haben am folgenden Tag einen Kater.	*They get drunk and have a hangover the next day.*
Es besteht auch die Gefahr, dass man unter Alkoholeinfluss Auto fährt.	*There is also the danger that one will drive under the influence of alcohol.*
Alkohol am Steuer ist ein großes Problem.	*Drink-driving is a big problem.*
Er verursacht viele Autounfälle.	*It causes a lot of car accidents.*
Das Problem wird zur Zeit sehr viel diskutiert.	*There is currently a lot of discussion about the problem.*
Man versucht, junge Leute vor den Gefahren des Alkoholmissbrauchs zu warnen.	*There is an attempt to warn young people about the dangers of alcohol abuse.*

Nach einer neueren Untersuchung nehmen mehrere tausend Jugendliche in Deutschland gelegentlich oder sogar regelmäßig Ecstasy. Leider nehmen auch viele Leute harte Drogen wie Kokain und Heroin. Wie ist die Situation in Irland?	*According to a recent survey, several thousand young people in Germany occasionally or even regularly take Ecstasy. Unfortunately, many also take hard drugs like cocaine and heroin. What is the situation in Ireland?*

In Irland gibt es auch ein Drogenproblem.

Oft beginnen junge Leute mit Drogen zu experimentieren, weil sie neugierig sind.

Manchmal fühlen sie sich unter Druck von Freunden.

Häufig werden sie dann abhängig.

Ich glaube, dass viele Leute die Gefahren der Ecstasy-Pillen unterschätzen.

Junge Leute sollten die Nebenwirkungen dieser Droge kennen.

Sie könnte sogar eine Einstiegsdroge für harte Drogen sein.

Mir tun Heroinsüchtige besonders leid.

Sie finden es furchtbar schwer, mit der Droge aufzuhören.

Junge Leute sollten über die Gesundheitsrisiken und Langzeitfolgen aller Drogen besser informiert sein.

There is also a drug problem in Ireland.

Young people often begin to experiment with drugs because they are curious.

Sometimes they feel under pressure from friends.

Quite often they become dependent.

I think that many people underestimate the dangers of the Ecstasy tablet.

Young people should know the side effects of this drug.

It could actually be a starter drug for hard drugs.

I feel particularly sorry for heroin addicts.

They find it awfully difficult to come off the drug.

Young people should be better informed about the health risks and long-term consequences of all drugs.

Wir machen uns Sorgen um die zunehmende Gewalttätigkeit in unserer Gesellschaft. Die Verbrechenszahl nimmt zu. Wir haben mehr Wohnungseinbrüche und Autodiebstähle. Habt ihr auch solche Probleme?	*We are worried about the increasing violence in our society. The number of crimes is increasing. We have more burglaries and car thefts. Do you also have such problems?*

Wir haben natürlich auch solche Probleme, wie jede Gesellschaft.

In den Großstädten sind die Probleme besonders gravierend.

Man hört Berichte von Wohnungseinbrüchen, Körperverletzung, Raubüberfällen, Autodiebstählen und dem so genannten „Joyriding".

Ich bin der Meinung, dass die Kriminalität zunimmt.

Sogar in den Schulen wird von Mobbing und Erpressung berichtet.

We certainly do have such problems, like every society.

The problems are particularly serious in the cities.

We hear reports about burglaries, physical injury, robberies, car thefts and so-called 'joyriding'.

I'm of the opinion that criminality is on the increase.

Even in schools there are reports of bullying and extortion.

Past exam questions: Letters

2004

Franz(iska), your new German pen friend, has written to you for the very first time.
Reply in German to the letter, giving detailed answers to the **four topic areas** asked
about and expressing your personal opinion. (Write approximately **160 words.**)

Leipzig, den 30. März 2004

Liebe(r) ...,

ich finde es super, mit jemandem aus Irland eine Brieffreundschaft
anzufangen. Irland war doch letztes Jahr Gastgeberland für die Special
Olympics, die sonst immer in den USA stattfinden. Das muss ja toll
gewesen sein! Schreib mir mal, wie das war!

Wirst du auch im Sommer die Olympischen Spiele in Athen im Fernsehen
anschauen? Welche Sportarten interessieren dich eigentlich am meisten?
Was für Sport treibst du selbst, oder machst du lieber was ganz anderes
als Sport?

Wir hier in Leipzig bewerben uns für die Olympischen Spiele 2012! Das
wäre gut für unsere Region. Sogar viele Westdeutsche haben den Osten
noch nicht besucht. Gibt es eigentlich auch Gegenden in deinem Land, die
du noch nicht besucht hast und gerne kennen lernen möchtest? Wie gut
kennst du zum Beispiel Nordirland?

Wie ist das eigentlich so, auf einer Insel zu leben? Ich stelle mir das
sehr romantisch vor! Oder gibt es auch Nachteile? Würdest du lieber auf
dem Kontinent leben, so wie ich?

Ich freue mich schon auf deine Antwort!

Dein(e) Franz(iska)

Sample answers

Dublin, den 10. April 2004

Liebe Franziska,

danke für deinen netten Brief. Es freut mich, eine Brieffreundin aus Deutschland zu haben. Ich hoffe, dass wir lange miteinander in Kontakt bleiben werden. Ich finde es schön, dass du dich für Irland interessierst.

Ja, Irland war letztes Jahr Gastgeberland für die „Special Olympics". Die Veranstaltung war ein totaler Erfolg. Ganz Irland war davon begeistert. Die Eröffnungsfeierlichkeiten waren einfach toll. Unsere berühmte Popgruppe „The Corrs" hat gesungen. Die Stimmung war fantastisch. Leute aus der ganzen Welt haben an den Spielen teilgenommen und für sie war es eine tolle Erfahrung.

Ich werde bestimmt die Olympischen Spiele in Athen anschauen. Ich interessiere mich hauptsächlich für das Schwimmen, aber ich werde auch den 5000-Meter-Lauf anschauen. Irische Athleten nehmen daran teil. Hoffentlich kriegen wir eine Medaille! Eigentlich bin ich selbst nicht sehr sportlich. Ich gehe nur ab und zu schwimmen. Ich gehe lieber ins Kino und ich lese gern, besonders Krimis.

Ihr habt euch für die Olympischen Spiele 2012 beworben? Ich wünsche euch viel Glück! Es gibt fast keine Gegend in Irland, die ich nicht kenne. Wie du weißt, ist die Insel ganz klein. Aber ich muss sagen, dass ich Nordirland nicht so gut kenne. Seit dem Friedensabkommen von 1998 besuchen mehr Touristen die Gegend. Ich werde in Zukunft sicher öfter hinfahren.

Du hast mich gefragt, wie es ist, auf einer Insel zu leben. Ehrlich gesagt habe ich mir kaum Gedanken darüber gemacht. Ich bin so daran gewöhnt. So romantisch ist es eigentlich nicht! Die Westküste ist aber wunderschön und man ist nie weit vom Meer entfernt. Im Sommer kann man darin schwimmen. Ich ziehe allerdings ein beheiztes Hallenbad vor! Um ein anderes Land zu besuchen, muss man immer fliegen oder mit der Fähre fahren. Das ist der einzige Nachteil. Du kannst mit dem Auto in so viele Länder reisen. Das muss toll sein. Ich glaube, ich würde lieber auf dem Kontinent leben!

Ich freue mich auf deinen nächsten Brief.
Schreib bald wieder!

Deine Ann

Donegal, den 12. April 2004

Lieber Franz,

danke für deinen Brief. Ich bin froh, einen Brieffreund aus Deutschland zu haben. Ich lerne Deutsch in der Schule und jetzt habe ich die Möglichkeit, mein schriftliches Deutsch zu üben!

Ja, Irland war letztes Jahr Gastgeberland für die „Special Olympics". Das war eine große Ehre für Irland, denn normalerweise finden sie in den USA statt. Ich habe auch dabei mitgeholfen. Die Veranstalter suchten junge Iren, um die ausländischen Gäste zu betreuen, und ich habe mich gemeldet. Es war eine tolle Erfahrung.

Ich treibe viel Sport. Ich spiele Tennis und Fußball. Ich bin Mitglied der örtlichen Fußballmannschaft. Ich werde die Olympischen Spiele ganz sicher im Fernsehen anschauen. Ich würde lieber nach Athen fahren, aber es kostet einfach zu viel. Ich interessiere mich für alle Wettkämpfe, aber am meisten für die Leichtathletik. Die ist immer spannend, finde ich.

Falls die Olympischen Spiele 2012 in Leipzig stattfinden, werde ich dich sicher besuchen! Du hast mich nach Gegenden in Irland gefragt, die ich nicht so gut kenne. Ich kenne Nordirland sehr gut. Ich wohne nicht weit von der Grenze und ich habe Verwandte dort. Ich war nur einmal im Süden Irlands, und zwar in Cork. Ich kenne den Süden nicht so gut.

Es ist richtig schön, auf einer Insel zu wohnen. Ich mag die See. Als Kind habe ich mit meiner Familie mehrere Tagesausflüge zur See gemacht. Unser Klima ist mild, aber an der Küste ist es oft kühl, auch im Sommer. Das ist der einzige Nachteil. Auf dem Kontinent ist es sicher wärmer im Sommer. Ich würde trotzdem lieber hier bleiben!

Ich mache jetzt Schluss.
Lass bald wieder von dir hören.

Dein Fergal

2005

Your German penfriend, Karl(a), has written to you to ask your opinion on a new subject in his/her school. Reply in German to the letter, giving detailed answers to the **four topic areas** asked about and expressing your personal opinion. (Write approximately **160 words**.)

Leipzig, den 30. März 2005

Liebe(r) ...,

endlich kriegst du wieder Post von mir. Stell dir vor! Wir haben ein neues Fach an unserer Schule: UBV: Umgang, Benehmen, Verhalten. Wir Schüler sollen wieder Höflichkeit und Respekt lernen: Anklopfen, Bitte und Danke sagen, uns entschuldigen, keine Schimpfworte benutzen. Wie findest du das? Habt ihr auch so ein Fach an eurer Schule? Wenn nicht, wo lernt ihr denn höfliches Benehmen?

Hier gleich um die Ecke wurde vor kurzem ein neues Schnellrestaurant eröffnet. Super! Es ist immer voll dort! Magst du Hamburger und Pommes auch so gern wie ich? Mich nervt diese ganze Diskussion hier bei uns über gesundes Essen. Wie ist das bei euch?

Ich habe gehört, dass man letztes Jahr bei euch sogar ein Rauchverbot in öffentlichen Gebäuden eingeführt hat. Wie haben die Raucher und Nichtraucher denn darauf reagiert? Klappt das gut?

Ich fliege übrigens diesen Sommer mit meinem Freund nach Zypern. Die Tickets waren superbillig, nur 50 € pro Person! Könnt ihr von Irland aus auch so billig fliegen? Bist du auch schon mal geflogen? Wenn ja, wohin? Wenn nein, wohin würdest du am liebsten fliegen?

Ich würde mich freuen, bald mal wieder von dir zu hören.

Viele Grüße

Dein(e) Karl(a)

Sample answers

It is very important when answering the questions in the letter that you **don't just answer** but also **react** to what the letter writer has written.

Example: in this letter, the German person referred to a new subject introduced into German schools, '**Wir haben ein neues Fach an unserer Schule: UBV ...**' You could **react** to this news in the following ways:

- Ich finde es sehr interessant, dass ihr ein neues Fach habt.
- Ich finde es lustig, dass ihr dieses neue Fach habt – UBV.

Kinsale, den 5. April 2005

Lieber Karl,

danke für deinen Brief. Ich finde es sehr interessant, dass ihr ein neues Fach habt: UBV. So ein Fach haben wir bei uns nicht. Höfliches Benehmen lernt man hauptsächlich von den Eltern. In der Schule haben wir aber viele Vorschriften. Wir müssen auch anklopfen, Bitte und Danke sagen und uns entschuldigen. Man muss Respekt vor den Lehrern und den Mitschülern zeigen. Es ist aber kein Fach.

Du hast von einem neuen Schnellrestaurant in deiner Gegend geschrieben. In meiner Gegend isst man eigentlich viel Fisch, aber ich mag auch Hamburger und Pommes. Gesundes Essen ist auch bei uns ein aktuelles Thema. Jeden Tag hört oder liest man etwas darüber – im Radio, im Fernsehen und in den Zeitungen. Es geht mir langsam auf den Keks! Ich finde die ganze Diskussion übertrieben. Meiner Meinung nach sollte man maßvoll essen. Schnellrestaurants sind doch gut, nur nicht jeden Tag!

Ja, wir haben jetzt ein Rauchverbot in öffentlichen Gebäuden eingeführt. Die Nichtraucher waren natürlich froh, aber die meisten Raucher waren dagegen. Die Kneipen haben auch laut protestiert. Es klappt aber prima. Man hat sich daran gewöhnt.

Du hast Glück! Ich möchte auch mal nach Zypern fahren. Wir können auch manchmal von Irland aus billig reisen. Es gibt mehr Konkurrenz heute und die Fluggesellschaften bieten billige Flüge an. Ich bin schon mal geflogen, und zwar nach Portugal. Letztes Jahr war ich mit meinen Eltern dort. Das Wetter war herrlich und ich bin jeden Tag im Meer geschwommen. Diesen Sommer bleibe ich leider in Irland. Ich habe nämlich einen Nebenjob.

Ich wünsche dir viel Spaß in Zypern. Vergiss nicht, mir eine Postkarte zu schicken!

Viele Grüße

Dein Michael

Tullamore, den 10. April 2005

Liebe Karla,

vielen Dank für deinen netten Brief. Ich finde es lustig, dass ihr dieses neue Fach habt – UBV. So ein Fach haben wir bei uns nicht. Vielleicht kommt es noch! Viele Leute beklagen sich über das schlechte Benehmen von einigen Jugendlichen und meinen, die Schulen seien nicht streng genug. Ich glaube aber, dass man gutes Benehmen zu Hause lernt. Man sollte bei kleinen Kindern anfangen und ihnen ein gutes Beispiel geben.

Eigentlich schmecken mir Hamburger und Pommes nicht besonders. Früher habe ich auch in Schnellrestaurants gegessen, aber jetzt nicht mehr. Ich finde das Essen dort einfach zu fett und zu salzig. Manchmal nervt mich auch die ganze Diskussion über gesundes Essen. Ich finde es aber wichtig, dass man gesund isst. Einige Jugendliche haben Übergewicht und die Ärzte warnen vor Gesundheitsrisiken.

Ich bin für das Rauchverbot. Ich rauche nicht und finde die rauchfreie Atmosphäre in Restaurants sehr angenehm. Viele Raucher sind gegen das Rauchverbot. Die Nichtraucher haben sich darüber gefreut. Es klappt ganz gut. Die Iren haben es akzeptiert.

Ich beneide dich um deine Reise nach Zypern. Wie toll für dich! Hier gibt es auch manchmal billige Flüge. Es kommt darauf an, wann man fährt. Im Sommer ist Hochsaison und die Flüge sind oft sehr teuer. Ich bin zweimal geflogen, das erste Mal als Kind. Ich habe meine Tante in London besucht. Letztes Jahr habe ich einen Schüleraustausch gemacht. Ich war in der Nähe von Paris. Meine Austauschpartnerin war supernett. Diesen Sommer werde ich vielleicht mit Freunden nach Mallorca fahren. Nachdem ich meine Noten bekommen habe! Ich muss zuerst das Geld dafür verdienen.

Ich wünsche dir eine gute Reise nach Zypern und schöne Tage dort.

Lass bald wieder von dir hören.

Deine Rose

2007

Your German penfriend, Martin(a), has written to you about a voluntary year abroad. Reply in German to the letter, giving detailed answers to the **four topic areas** asked about and expressing your personal opinion. (Write approximately **160 words.**)

Freiburg, den 30. März 2007

Liebe(r) ...,

heute hatte ich zwei Briefe im Briefkasten, deinen und einen Brief mit Informationsmaterial. Ich will nämlich nach dem Abitur ein freiwilliges soziales Jahr in Südafrika machen. Ich möchte dort in einem Projekt mit Jugendlichen in einer Township arbeiten. Wie findest du die Idee von so einem sozialen Jahr? Und was ist der Grund für deine Ansicht? Welche Rolle spielt soziales Engagement bei euch in Irland?

Du kennst doch Miriam. Im Englischunterricht bereite ich mit ihr gerade eine Präsentation über Südafrika vor, auf Englisch natürlich. Miriam und ich sind ein gutes Team, wir teilen uns die Aufgaben auf. Du hast bestimmt auch schon einmal eine Präsentation oder ein Referat gemacht und vor der Klasse vorgetragen. In welchem Fach? Über welches Thema? Wie hast du dich/habt ihr euch vorbereitet?

Übrigens, ich bin im Komitee für unseren Abi-Ball. Er findet dieses Jahr in unserer Schule statt. Wir Schüler organisieren alles selbst: die Band, Essen und Trinken usw. Das ist so viel Arbeit! Wie feiert ihr euren Abi-Ball? Was für ein Programm habt ihr für den Abi-Ball? Schreib mir mal darüber!

So, ich mache jetzt Schluss. Gleich gibt es eine super Sendung im Fernsehen: Reality-TV. Ich bin süchtig danach und will die Sendung nicht verpassen! Wie findest du Reality-TV? Mein Vater sagt immer, dass sei Zeitverschwendung. Ich kann mich beim Fernsehen super entspannen. Siehst du auch so gern fern wie ich? Wenn nicht, warum nicht?

Also, bis bald!

Dein(e) Martin(a)

Use the language of the letter to help you with your **own responses**. Consider the following examples from the exam text and sample answers below:

Er findet dieses Jahr in unserer Schule statt. ➙ Er findet im August statt.
Wir Schüler organisieren alles selbst. ➙ Wir Schüler organisieren auch alles selbst.

Sample answers

Cork, den 8. April 2007

Liebe Martina,

danke für deinen Brief. Es war wie immer schön, von dir zu hören. Du scheinst im Moment in der Schule sehr beschäftigt zu sein. Ich habe auch zurzeit sehr viel zu tun. Diese endlosen Klassenarbeiten! Ich finde die Idee von einem freiwilligen sozialen Jahr sehr interessant. Man kann etwas für arme und bedürftige Menschen machen. Du hoffst, nach Südafrika zu fahren. Das finde ich toll. Leider ist so ein Jahr nicht üblich in Irland, wenigstens nicht für jüngere Menschen. Nach der Schule gehen die meisten gleich auf die Uni. Aber ältere, berufstätige Menschen machen das oft. Sie haben manchmal die Gelegenheit, für ein Jahr in der Dritten Welt zu arbeiten. Soziales Engagement spielt eine wichtige Rolle bei uns.

Du machst ein Referat über Südafrika, und zwar auf Englisch! Das finde ich super. Ich kann mir nicht vorstellen, so was auf Deutsch zu machen! Ich habe im Übergangsjahr eine Präsentation vor meiner Klasse gehalten. Im Erdkundeunterricht mussten alle Schüler ein Projekt über ein europäisches Land machen. Ich habe natürlich Deutschland gewählt! Das Thema war das Ruhrgebiet. Ich habe viele Informationen im Internet gefunden und ich habe auch an die deutsche Botschaft geschrieben. Meine Präsentation war aber auf Englisch!

Ich freue mich wahnsinnig auf unseren Abi-Ball. Er findet im August statt. Wir Schüler organisieren auch alles selbst. Wir haben auch ein Komitee. Wir treffen uns regelmäßig und besprechen die Vorbereitungen. Wir bestellen eine Band und buchen ein Hotel in der Nähe. Ich habe schon mein Abi-Kleid. Es ist sehr elegant!

Bei uns ist Reality-TV auch sehr populär. Aber ich muss zugeben, dass ich mit deinem Vater übereinstimme. Meiner Meinung nach ist es Zeitverschwendung. Ich sehe aber gern fern. Ich mag Sportsendungen, Musiksendungen und Filme. Ich kann mich auch beim Fernsehen entspannen, besonders am Wochenende.

Also Martina, ich mache jetzt Schluss. Ich muss für eine Irischarbeit lernen. Ich freue mich auf deinen nächsten Brief.

Bis bald!

Deine Rosanna

Dundalk, den 18. April 2007

Lieber Martin,

danke für deinen Brief. Entschuldige, dass ich erst jetzt darauf antworte. Ich bin ziemlich schreibfaul! Du hast von einem freiwilligen sozialen Jahr geschrieben. Das ist eine interessante Idee! Du gehst nach Südafrika. Es ist toll, so ein wertvolles Projekt zu machen und ein anderes Land kennen zu lernen, Ich möchte so was auch nach der Schule machen, aber meine Eltern wollen, dass ich auf die Universität gehe. In Irland gibt es viele karitative Organisationen, die den Ärmeren in unserer Gesellschaft helfen. Soziales Engagement ist sehr wichtig bei uns und viele Leute machen mit.

Ich habe auch ein Referat gemacht. Letztes Jahr habe ich an dem Wettbewerb für junge Wissenschaftler teilgenommen. Mein Projekt handelte von der Wasserqualität in unserer Umgebung. Ich habe den zweiten Preis in meiner Kategorie gewonnen. Nachher habe ich es meiner Klasse vorgetragen.

Wir haben schon dieses Jahr unseren Abi-Ball gehabt. Er hat Anfang Januar stattgefunden. Ich war auch im Komitee dafür. Wir haben die Band, das Essen und die Musik organisiert. Wir haben ein Hotel in der Nähe gebucht. Die Band war toll, aber das Essen hat nicht besonders gut geschmeckt. Es war trotzdem ein toller Abend. Wir hatten viel Spaß.

Ich mag auch Reality-TV. Ich finde die Sendungen sehr lustig und interessant. Ich sehe aber lieber Sportsendungen. Ich bin, wie du weißt, ein Fußballfanatiker. Meine Mutter sagt, ich verbringe zu viel Zeit mit Fernsehen, aber ich finde es, wie du, sehr entspannend.

Lass bald wieder von dir hören! Vielleicht treffen wir uns im Sommer, bevor du nach Südafrika fliegst!

Viele Grüße

Dein Conor

Topical writing

The alternative written task on your paper requires you to express your opinion on a given topic in about 160 words. It is often a response to a visual stimulus such as a picture, a cartoon or a photograph. Here you will find examples of questions on particular topics and suggested answers.

While the letter-writing task is generally more popular, it is worth considering that the second task requires **less reading** and this may be an advantage if you are under time pressure.

Kinder/Freizeit (*Children/free time*)

Beschreiben Sie, was Sie auf dem Bild sehen.	**Describe what you see in the picture.**

Ich sehe mehrere Kinder.

I see several children.

Sie sehen sich die verschiedenen Schilder an.

They are looking at the different notices.

Jedes Schild verweist auf ein Spielverbot.

Every notice indicates a ban on play.

Die Kinder dürfen nicht auf der Straße Fußball spielen.

The children are not allowed to play football on the street.

Sie dürfen nicht nach der Schulzeit auf dem Schulhof spielen.

They are not allowed to play in the school yard after school hours.

Sie dürfen nicht Rad fahren und nicht inlineskaten.

They are not allowed to cycle or to go inline skating.

Ich sehe Kinderfeindlichkeit.

I see hostility to children.

Die Kinder dürfen nirgendwo spielen!

The children are not allowed to play anywhere!

Wo können Kinder heutzutage in Ruhe und sicher spielen? Nennen Sie drei Beispiele.	**Where can children nowadays play in peace and safety? Mention three examples.**

Kinder können zu Hause in Ruhe und sicher spielen.

Children can play at home in peace and safety.

Bei gutem Wetter ist es schön, im Garten zu spielen, und die Eltern sind da, um auf die Kinder aufzupassen.

It is nice to play in the garden in good weather and the parents are there to look after the children.

Auf dem Schulhof ist es auch relativ sicher.

It is also relatively safe in the school yard.

Die Lehrer sind da und können Aufsicht führen.

The teachers are there and can supervise.

Spielplätze sind auch ideal, wenn die Kinder von den Eltern begleitet werden.

Playgrounds are also ideal when the children are accompanied by parents.

Bewachte Sportzentren und Schwimmbäder sind auch sicher.

Supervised sports centres and swimming pools are also safe.

In vielen irischen Schulen dürfen die Kinder auf dem Schulgelände nicht herumrennen. Wie finden Sie das? Begründen Sie Ihre Meinung.	**In many Irish schools children are not allowed to run within the school grounds. What do you think of that? Give reasons for your opinion.**

Ich finde es unvernünftig, dass viele Schulen den Kindern das Herumrennen verbieten.

I think it's unreasonable that many schools ban running.

Vielleicht liegt es an der Versicherung.

Maybe it is because of the insurance.

Aber Kinder wollen aktiv sein und Spaß haben.

But children want to be active and have fun.

Heute ist Fettleibigkeit bei Kindern ein großes Problem.	*Childhood obesity is a major problem today.*
Viele Kinder und Jugendliche haben Übergewicht.	*Many children and young people are overweight.*
Ärzte warnen vor den Gesundheitsrisiken.	*Doctors are warning about health risks.*
Wie aber können Kinder zu mehr Bewegung angeregt werden, wenn die Schulen so streng sind?	*But how can children be encouraged to be more physically active when the schools are so strict?*

Sollten Ihrer Meinung nach mehr Spielplätze in den Städten gebaut werden? Begründen Sie Ihre Antwort mit zwei oder drei Argumenten.	***In your opinion, should more playgrounds be built in towns? Justify your answer with two or three arguments.***

Ja, ich glaube, dass mehr Spielplätze in den Städten gebaut werden sollten.	*Yes, I think that more playgrounds should be built in the towns.*
Wir haben viele Wohnblocks und Bürohäuser.	*We have many apartment blocks and office blocks.*
Wer denkt an die Kinder?	*Who is thinking of the children?*
Sie sind unsere Zukunft.	*They are our future.*
Sie müssen spielen können und die Stadtbehörden sollten kinderfreundlich sein.	*They have to be able to play and town authorities ought to be child-friendly.*

Sollte man in den irischen Schulen mehr Sportunterricht anbieten? Begründen Sie Ihre Meinung.	***Should Irish schools offer more sports lessons? Give reasons for your opinion.***

Ich bin der Meinung, dass die irischen Schulen vielleicht mehr Sportunterricht anbieten sollten.	*I think that Irish schools should perhaps offer more sports/P.E. lessons.*
Sport ist kein Prüfungsfach und die Betonung liegt eher auf akademischen Fächern.	*Sport is not an exam subject and the emphasis is more on academic subjects.*
In einigen Schulen sind aber die Sportmöglichkeiten sehr gut.	*In some schools, however, the sport/P.E. opportunities are very good.*
Wir haben in meiner Schule eine moderne Turnhalle und mehrere Sportplätze.	*In my school we have a modern gym and several sports/playing fields.*
Man kann auch nach der Schule viele Sportarten betreiben.	*You can also play a lot of sports after school.*
Viele Schulen haben eine sehr gute Fußball- oder Basketballmannschaft.	*Many schools have a very good football or basketball team.*

Die Medien (*The media*)

Wie wichtig sind die Medien heute?	*How important are the media today?*

Die Presse, das Fernsehen und das Internet spielen eine große Rolle im täglichen Leben.	*The press, television and the internet play a big part in daily life.*
Meiner Ansicht nach ist das Fernsehen das einflussreichste Medium.	*In my view television is the most influential medium.*
Die Zahl der Sender hat in den letzten Jahren rapide zugenommen.	*The number of channels has grown rapidly in recent years.*
Durch die Medien wird man schnell über alles informiert, was in der Welt passiert.	*Through the media we get information very quickly about what is happening in the world.*
Das Radio ist auch sehr populär.	*Radio is also very popular.*
Wenn man Radio hört, kann man gleichzeitig arbeiten.	*When you listen to the radio you can work at the same time.*
In vielen Haushalten läuft das Radio tagsüber und oft werden aktuelle Themen heftig diskutiert.	*In many households the radio is on during the day and current themes are hotly discussed.*

Lesen Sie regelmäßig eine Zeitung? Warum oder warum nicht? Was für Zeitschriften lesen junge Leute gern?	*Do you regularly read a newspaper? Why? Why not? What kind of magazines do young people like to read?*

Ich lese ab und zu Zeitung.	*I read the newspaper now and then.*
Unter der Woche bin ich mit der Schule ziemlich beschäftigt.	*During the week I'm quite busy with school.*
Ich lese lieber am Wochenende Zeitung.	*I prefer to read the newspaper at the weekend.*
Ich mag die Sonntagszeitungen.	*I like the Sunday newspapers.*
Es sind manchmal sehr interessante Artikel darin.	*There are sometimes very interesting articles in them.*
Es gibt heute zahlreiche Zeitschriften für junge Leute.	*There are numerous magazines today for young people.*
Junge Leute lesen gern Mode-, Sport- und Musikzeitschriften.	*Young people like reading fashion, sports and music magazines.*

Sind Ihrer Meinung nach die Einschaltquoten wichtiger als die Qualität der Fernsehsendungen? Begründen Sie Ihre Meinung.

In your opinion, are the ratings more important than the quality of the TV programmes? Give reasons for your opinion.

Ich glaube fest, dass die Einschaltquoten tatsächlich wichtiger sind als die Qualität der Fernsehsendungen.

Der Erfolg der so genannten Realitätssendungen wie „Big Brother" ist ein Beweis dafür.

Jedes Jahr versucht man, sich neue Ideen für solche Sendungen auszudenken.

Das Fernsehen ist vor allem ein Unterhaltungsmedium.

Das ist verständlich.

Nach dem Alltagsstress wollen wir abschalten, uns entspannen.

Das Fernsehen kann und soll uns jedoch auch zum Denken und zur Diskussion anregen.

I firmly believe that the ratings are actually more important than the quality of the television programmes.

The success of so-called reality programmes like 'Big Brother' is proof of that.

Every year they try to think up new ideas for such programmes.

Television is primarily an entertainment medium.

That is understandable.

After the stress of everyday life we want to switch off, relax.

However, television can and should also stimulate thinking and discussion.

Welche Rolle spielt das Internet heute?

What role does the internet play today?

Immer mehr Leute nutzen heute das Internet.

More and more people are using the internet today.

Der Zugang ist leicht.	*Access is easy.*
Es bietet enorme Kommunikationsmöglichkeiten.	*It offers huge possibilities for communication.*
Man muss aber Kinder vor gefährlichen Websites schützen.	*But children have to be protected from dangerous websites.*
Es ist sehr schwierig, alle Onlinedienste zu zensieren.	*It is difficult to censor all online services.*

Was sind die Vor- und Nachteile der Werbung?	**What are the advantages and disadvantages of advertising?**
Die Werbung hat viele Vorteile.	*Advertising has many advantages.*
Sie informiert uns über neue Produkte, die sehr nützlich sein können.	*It gives us information about new products that can be very useful.*
Werbespots sind manchmal sehr lustig und unterhaltsam.	*Advertisements are sometimes very funny and entertaining.*
Werbung schafft auch Arbeitsplätze.	*Advertising also creates jobs.*
Verbraucher sind heute umweltbewusster.	*Consumers are more environmentally aware today.*
Die Werbung nimmt das zur Kenntnis und die Produkte werden immer umweltverträglicher.	*Advertising takes that into account and the products are becoming better and better for the environment.*
Es gibt aber auch viele Nachteile.	*However, there are also many disadvantages.*
Viele Leute meinen, dass Werbung eine Art Gehirnwäsche sei.	*Many people think that advertising is a type of brain-washing.*
Werbung verführt Leute.	*Advertising seduces/misleads people.*
Leute kaufen Sachen, die sie nicht brauchen oder die sie sich nicht leisten können.	*People buy things that they don't need or can't afford.*
Kinder werden auch manipuliert, besonders vor Weihnachten.	*Children are also manipulated, especially before Christmas.*
Man macht viel Werbung für teure Spielzeuge und Computerspiele.	*There is a lot of advertising for expensive toys and computer games.*
Das ist besonders schwierig für ärmere Familien.	*That is particularly difficult for poorer families.*
Manchmal wird auch für zu fette, zu salzhaltige und zu süße Lebensmittel geworben, die gesundheitsschädlich sind.	*Sometimes food products are promoted that are too fat, too salty and too sweet and harmful to one's health.*
Werbung ist auch oft irreführend.	*Advertising is also often misleading.*
Die Werbebilder zeigen immer eine ideale Welt.	*The advertising pictures always show an ideal world.*

Stadt oder Land (*Town or country*)

Beschreiben Sie, was Sie auf Foto 1 und auf Foto 2 sehen.	*Describe what you see in photo 1 and photo 2.*

Auf dem ersten Foto sieht man einen Stau.
Viele Leute sind unterwegs.
Es ist vielleicht Hauptverkehrszeit/Rushhour.
Ich sehe auch mehrere Gebäude.
Auf dem zweiten Foto sehe ich ein schönes Haus auf dem Land.
Ich sehe auch Wiesen und einen Hügel.
Die Landschaft ist schön und ruhig.

In the first photo there is a traffic jam.
Many people are on the move.
It may be rush hour.
I also see several buildings.
In the second photo I see a beautiful house in the country.
I also see meadows/fields and a hill.
The countryside is beautiful and quiet.

In Irland wurden zuletzt viele Wohnsiedlungen in den Städten gebaut.	*In Ireland many housing estates were built recently in towns.*
Welche Nachteile bringt das?	*What disadvantages does that bring?*

Es gibt viele Wohnsiedlungen in unseren Städten.

There are many housing estates in our towns.

Mehr Wohnsiedlungen bedeuten mehr Autos.

More housing estates mean more cars.

Fast jeder Haushalt hat mindestens ein Auto.

Nearly every household has at least one car.

Die Leute sitzen oft lange im Stau fest.

People often get stuck in traffic jams.

Die Autoabgase sind schlecht für die Umwelt.

The car exhaust fumes are bad for the environment.

Die Stadtluft ist nicht gesund.

The town/city air is not healthy.

Die Vororte werden immer dichter besiedelt.

The suburbs are becoming more densely populated.

Kinder haben weniger Platz zum Spielen.

Children have less space to play.

Es gibt wesentlich weniger Grün.

There is considerably less green space.

Der neue Wohlstand der Iren hat seinen Preis.

The new prosperity of the Irish people has its price.

Wie hat sich in den letzten Jahren die irische Landschaft verändert? Geben Sie zwei oder drei Beispiele an.	*How has the Irish countryside changed in recent years?* *Give two or three examples.*

Die irische Landschaft hat sich in den letzten Jahren sehr verändert.

The Irish countryside has changed a lot in recent years.

Sie wird von vielen Häusern und Hotels zersiedelt, die in letzter Zeit gebaut wurden.

It is dotted with many houses and hotels that have been built recently.

Man sieht nicht nur Bauernhäuser, sondern auch moderne Bungalows und riesengroße Einfamilienhäuser.

You see not just farm houses but also modern bungalows and huge detached houses.

Zurzeit werden neue Autobahnen gebaut.

New motorways are currently being built.

Ich finde es schade, dass so viel gebaut wird.

I think it's a pity that there is so much building going on.

Wo lebt man Ihrer Meinung nach besser – in der Stadt oder auf dem Land? Geben Sie mehrere Gründe für Ihre Antwort an.

Where is it better to live in your opinion – in the town or in the country? Give several reasons for your answer.

Es gibt Vor- und Nachteile in der Stadt und auf dem Land.

There are advantages and disadvantages in the town and in the country.

In der Stadt gibt es mehr zu tun.
Für Jugendliche gibt es Kinos, Diskos, Sportzentren und bessere Einkaufsmöglichkeiten.
Die öffentlichen Verkehrsmittel sind besser in der Stadt.
Es gibt aber zu viele Leute, zu viel Lärm, Verkehrsstaus und Luftverschmutzung.
Das Leben ist hektisch und die Leute sind oft gestresst.

There is more to do in the town.
For young people there are cinemas, discos, sport centres and better shopping facilities.
Public transport is better in the town.

But there are too many people, too much noise, traffic jams and air pollution.
Life is hectic and the people are often stressed.

Auf dem Land ist es ruhiger, weniger hektisch.
Man trifft häufiger Leute, die man kennt.
Es gibt weniger Verkehrsunfälle.
Die Kriminalitätsraten sind niedriger.
Es gibt weniger soziale Probleme.
Man muss jedoch eine weite Strecke zur Schule, zur Arbeit oder zu verschiedenen Veranstaltungen fahren.
Der öffentliche Nahverkehr ist nicht so gut wie in der Stadt.
Es gibt weniger Arbeitsplätze.
Für Jugendliche kann das Leben auf dem Land langweilig sein.

In the country it is quieter, less hectic.
You meet people you know more often.
There are fewer traffic accidents.
The crime rates are lower.
There are fewer social problems.
However, you have to travel a long distance to school, to work or to different events.
The local public transport is not as good as in the town.
There are fewer jobs.
For young people life in the country can be boring.

Ich würde lieber in der Stadt leben.
Es ist eine Frage des persönlichen Geschmacks, ob man das Land oder die Stadt bevorzugt.
Für Familien mit Kindern ist das Land vielleicht die bessere Wahl.

I would prefer to live in the town.
It is a matter of personal taste whether one prefers the country or the town.
For families with children the country is perhaps the better choice.

Die Dritte Welt (*The Third World*)

Was sind Ihrer Meinung nach die größten Probleme in der Dritten Welt?	What are the biggest problems in the Third World in your opinion?

Die Menschen in der Dritten Welt leben unter sehr schlechten Bedingungen.	*The people in the Third World live in very poor conditions.*
Manche leben in absoluter Armut.	*Many live in absolute poverty.*
Es fehlen ihnen oft alltägliche Dinge, zum Beispiel sauberes Wasser und gesundes Essen.	*They often lack everyday basics, for example, clean water and healthy food.*
Millionen von Menschen leiden an den Folgen von Hungersnot und Krankheiten.	*Millions of people are suffering from the effects of famine and disease.*
Viele Kinder sind unterernährt.	*Many children are undernourished.*
Viele sterben sogar an Unterernährung.	*Many even die from malnutrition.*
Viele Menschen sterben an AIDS, weil ihnen die notwendigen Medikamente fehlen.	*Many people die of AIDS because they don't have the necessary medication.*
Viele Länder der Dritten Welt sind hoch verschuldet.	*Many countries of the Third World are heavily in debt.*
Sie sind in einem Teufelskreis.	*They are in a vicious circle.*
Sie brauchen dringend Geld, aber sie können die Schulden nicht zurückzahlen.	*They need money urgently but they cannot pay back the debts.*
So werden sie noch ärmer.	*In that way they become even poorer.*

Was sind Ihrer Meinung nach die Ursachen der Armut?	What are the causes of poverty in your opinion?

Viele Leute meinen, die Industrieländer hätten die Armut der Entwicklungsländer verursacht.	*Many people think that the industrial countries have caused the poverty in the developing countries.*
Ich glaube, das stimmt teilweise.	*I think that is partly true.*
Geld regiert die Welt.	*Money rules the world.*
Die armen Länder werden manchmal von den reichen ausgebeutet.	*The poor countries are sometimes exploited by the rich ones.*
Wenn es eine Dürre gibt, ist das für ein armes Land besonders schlimm.	*If there is a drought, it is particularly serious for a poor country.*
Eine Dürre kann die ganze Ernte verderben.	*A drought can destroy the entire crop.*
Oft gibt es in der Dritten Welt auch Überschwemmungen.	*There are often floods in the Third World, too.*
Auch solche Katastrophen verursachen Armut.	*Such catastrophes also cause poverty.*

Was sollten die Industrieländer tun, um die Armut in der Welt zu beseitigen?

What should the industrial countries do in order to wipe out poverty in the world?

Der Reichtum der Welt reicht aus, um alle Bewohner der Erde zu ernähren.

The wealth of the world is sufficient to feed all the inhabitants of the earth.

Trotzdem verhungern und verdursten Menschen.

Still people are dying of hunger and thirst.

Wir müssen zuerst die Schulden der Dritten Welt tilgen.

Firstly, we must wipe out the debts of the Third World.

Das wäre ein erster und wichtiger Schritt.

That would be a first and important step.

Ein schuldenfreies Land kann die Armut leichter bekämpfen.

A debt-free country can more easily fight poverty.

Die reichen Länder sollten den armen Ländern auch einen besseren Preis für ihre Produkte bezahlen.

The rich countries should also pay the poor countries a better price for their products.

Mehr Entwicklungshilfe ist nötig.

More development aid is necessary.

Geld allein ist jedoch nicht genug.

Sending money alone is not enough, however.

Wir müssen den Ländern helfen, selbständig zu werden.

We must help the countries become independent.

Wir müssen die Bildung und die Landwirtschaft verbessern.

We must improve education and agriculture.

Die Länder brauchen Fachkräfte und Berater.

These countries need experts and advisors.

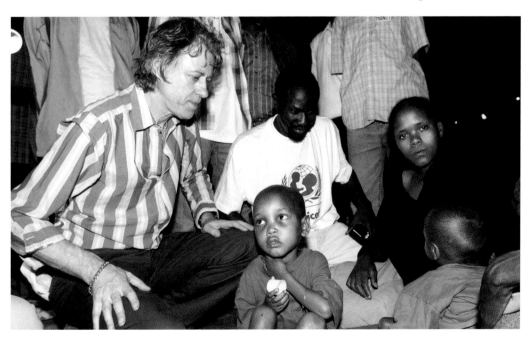

Viele Rockstars und berühmte Popsänger setzen sich für die Armen in der Dritten Welt ein. Wie finden Sie das?	*Many rock stars and famous pop singers give of themselves for the poor in the Third World. What do you think of that?*

Ich finde es toll, dass berühmte Rockstars wie Bono und Bob Geldof sich für die Armen einsetzen.

I think it's great that famous rock stars like Bono and Bob Geldof take up the cause of the poor.

Sie haben viel Einfluss.

They have a lot of influence.

Sie werden von vielen jungen Leuten bewundert.

They are admired by a lot of young people.

Weltbekannte Sänger und Gruppen bemühen sich, die Armut in der Welt zu bekämpfen.

Well-known singers and groups are trying to fight poverty in the world.

Die Politiker der reichsten Länder haben viel Macht.

The politicians of the richest countries have a lot of power.

Das Wohlstandsgefälle zwischen den Industrie- und den Entwicklungsländern muss verringert werden.

We have to reduce the economic divide between the industrial and the developing countries.

Ferien (*Holidays*)

Beschreiben Sie, was Sie auf dem Bild sehen.	*Describe what you see in the picture.*

Ich sehe einen überfüllten Strand. Viele Leute sitzen oder liegen am Strand und sonnen sich. Kinder spielen und bauen Sandburgen.	*I see an overcrowded beach.* *Many people are sitting or lying on the beach and are sunbathing.* *Children are playing and making sand castles.*

Warum sind die Leute alle dort hingefahren? **Was hatten sie erwartet?**	*Why did all the people go there?* *What had they expected?*

Die Leute sind dort hingefahren, weil sie die See und die Sonne mögen. Einige wollten vielleicht schön braun werden.	*The people went there because they like the sea and the sun.* *Maybe some of them wanted to become nicely tanned.*

Ausflüge zum Meer sind sehr populär, besonders bei Familien mit Kindern.	*Trips to the sea are very popular, especially among families with children.*
Die Leute hatten Sonne, Sand und See erwartet.	*The people had expected sun, sand and sea.*
Ich nehme an, sie hatten auch Ruhe erwartet.	*I presume they had also expected quiet/ peace.*
Sie wussten nicht, dass so viele Menschen dort sein würden.	*They didn't know that so many people would be there.*

Wo machen Sie gern Urlaub? Haben Sie vielleicht einen Lieblingsurlaubsort?	**Where do you like to holiday? Have you perhaps a favourite holiday place?**

Ich mache gern Winterurlaub.	*I like winter holidays.*
Ich bin sehr sportlich und habe zweimal Skiurlaub in Österreich gemacht.	*I'm very sporty and I went skiing in Austria twice.*
Mir gefällt auch die österreichische Landschaft. Die ist wunderschön.	*I also like the Austrian scenery. It's beautiful.*
Im Sommer gehe ich gern zum Strand und ich schwimme gern.	*In the summer I like going to the beach and I like swimming.*
Ich habe eigentlich keinen Lieblingsurlaubsort.	*Actually, I don't have a favourite holiday place.*
Ich mag es aber, wenn die Natur relativ unberührt ist.	*But I like it when nature is relatively unspoilt.*

Geben Sie drei Gründe an, warum heute mehr Iren als früher im Ausland Urlaub machen.	**Give three reasons why today more Irish people than before holiday abroad.**

Es gibt mehrere Gründe, warum heute mehr Iren als früher im Ausland Urlaub machen.	*There are several reasons why today more Irish people than before holiday abroad.*
Die Iren haben mehr Geld als früher.	*The Irish have more money than they used to.*
Sie können sich Reisen leisten.	*They can afford trips.*
Es gibt mehr Konkurrenz in der Flugindustrie.	*There is more competition in the airline industry.*
Deshalb werden billigere Flüge angeboten.	*Therefore, there are cheaper flights on offer.*
Das irische Wetter ist nicht verlässlich.	*The Irish weather is not reliable.*
Es regnet zu viel, auch im Sommer.	*It rains too much, in summer as well.*
Die Mittelmeerländer bieten Sonne und Wärme!	*The Mediterranean countries offer sun and warmth!*
Das lockt viele Touristen an.	*That attracts a lot of tourists.*
Man kann sich auf gutes Wetter verlassen.	*You can be sure of good weather.*

Irland ist in letzter Zeit auch ziemlich teuer geworden.	*Ireland has also become quite expensive recently.*
Es ist nicht billig, in Irland Urlaub zu machen!	*It is not cheap to holiday in Ireland!*

Wohin fahren Jugendliche gern in Urlaub?	*Where do young people like to go on holiday?*
Viele Jugendliche bevorzugen einen Urlaub ohne Eltern. Warum? Nennen Sie zwei mögliche Gründe.	*Many young people prefer a holiday without parents. Why? Mention two possible reasons.*

Jugendliche fahren gern mit Inter-Rail.	*Young people like to travel with Inter-Rail.*
Es ist billig und man kann quer durch Europa fahren und mehrere Länder besuchen.	*It is cheap and you can go right across Europe and visit several countries.*
Skiurlaube mit Freunden sind auch sehr populär.	*Skiing holidays with friends are also very popular.*
Im Sommer fahren viele Jugendliche gern in sonnige Länder.	*In the summer many young people like to go to sunny countries.*
Dort finden sie See, Sonne, Diskos und Restaurants.	*There they find sea, sun, discos and restaurants.*
Immer mehr Jugendliche reisen nach Asien.	*More and more young people are travelling to Asia.*
Thailand ist ein sehr beliebtes Reiseziel.	*Thailand is a very popular travel destination.*

Die Landschaft ist herrlich und die Unterkunft billig.	*The scenery is magnificent and the accommodation is cheap.*
Man kann dort eine hochinteressante Kultur kennen lernen.	*You can get to know a fascinating culture there.*
Jugendliche bevorzugen einen Urlaub ohne Eltern, weil sie unter Freunden mehr Spaß haben können.	*Young people prefer a holiday without parents because they can have more fun among friends.*
Eltern und Kinder haben unterschiedliche Interessen.	*Parents and children have different interests.*
Sie wollen ihre Freizeit anders gestalten.	*They want to organise their free time differently.*
Jugendliche wollen auch von den Eltern unabhängig sein.	*Young people also want to be independent of their parents.*
Sie wollen selber entscheiden, was sie machen, ohne um Erlaubnis fragen zu müssen.	*They want to decide themselves what to do without having to ask permission.*

Die Umwelt (*The environment*)

Was sind Ihrer Meinung nach heute die größten Umweltprobleme in der Welt?	What, in your opinion, are the biggest environmental problems in the world today?
Meiner Meinung nach ist das größte Problem die Klimaveränderung.	*In my opinion, the biggest problem is climate change.*
Die Erde wird wärmer.	*The earth is becoming warmer.*
Die weltweite Durchschnittstemperatur ist in den letzten Jahrzehnten gestiegen.	*The worldwide average temperature has risen in recent decades.*
Gletscher schmelzen. Der Meeresspiegel steigt.	*Glaciers are melting. The sea level is rising.*
Wüsten breiten sich aus.	*Desert areas are spreading.*
Milde Winter werden die Regel sein.	*Mild winters will be the norm.*
Das Ozonloch wird immer größer.	*The ozone hole is getting bigger and bigger.*

Die Zahl der Autos nimmt ständig zu.	*The number of cars is constantly increasing.*
Es gibt Qualm aus Schloten und Auspuffrohren.	*There is smoke from chimneys and exhaust pipes.*
Die Folge ist der Treibhauseffekt.	*The result is the greenhouse effect.*
Es gibt FCKW aus Spraydosen.	*There are CFCs from aerosols.*
Wir haben Luft- und Wasserverschmutzung.	*We have air and water pollution.*
Gifte aus Chemieanlagen und Haushalten verseuchen Wasser und töten Fische.	*Poisons from chemical plants and households contaminate water and kill fish.*
Wir haben immer mehr Hausmüll und die Mülldeponien werden größer.	*We have more and more domestic waste and the rubbish tips are getting bigger.*
Saurer Regen macht viele Bäume krank.	*Acid rain is harming many trees.*
In den letzten dreißig Jahren sind viele Tropenwälder vernichtet worden.	*In the last thirty years many tropical forests have been destroyed.*
Ich finde es empörend, dass das Abholzen des Regenwaldes zu industriellen Zwecken ohne Rücksicht auf die Folgen weitergeht.	*I think it's outrageous that the clearing of the rain forest for industrial purposes is continuing without consideration of the consequences.*

Welche möglichen Lösungen gibt es? *What are the possible solutions?*

Wir sollten FCKW verbieten.	*We should ban CFCs.*
Wir müssen die Umweltverschmutzung bekämpfen.	*We have to fight environmental pollution.*
Wir könnten das Problem des Abfalls vermeiden, indem wir Dinge wiederverwerten.	*We could avoid the problem of waste by recycling.*
Man sollte auch möglichst umweltfreundliche Energiequellen nutzen, zum Beispiel Wind- und Sonnenenergie.	*As far as possible we should use environmentally friendly energy sources, such as wind and solar energy.*
Man braucht dazu aber viel Wind und viel Sonne!	*However, you need a lot of wind and a lot of sun for that!*
Vielleicht werden wir in Zukunft nur solarbetriebene Autos haben!	*Maybe in the future we'll have only solar-powered cars!*
Einige Leute behaupten, dass Kernkraft eine gute Lösung sei.	*Some people maintain that nuclear energy is a good solution.*
Ich bin nicht davon überzeugt.	*I'm not convinced of that.*
Kernkraft ist sauber und produziert kein CO_2.	*Nuclear power is clean and does not produce any CO_2.*
Die Risiken sind aber zu groß.	*But the risks are too great.*
Ein Unfall in einem Kernkraftwerk wäre eine Katastrophe.	*An accident in a nuclear power station would be a catastrophe.*

Die Entsorgung von radioaktivem Müll ist auch ein Problem.

The disposal of nuclear waste is also a problem.

Wir sollten mit der Abholzung aufhören und die Wälder retten.

We should stop deforestation and rescue the forests.

Wie umweltbewusst sind Ihrer Meinung nach die Iren?	**How environmentally aware are the Irish in your opinion?**

Die Iren sind in letzter Zeit umweltbewusster geworden.

The Irish have recently become more environmentally aware.

Aber ich glaube, sie sind noch nicht so umweltbewusst wie andere Europäer.

But I don't think they are yet as environmentally aware as other Europeans.

Wir müssen jetzt eine Steuer für Plastiktüten bezahlen.

We now have to pay a tax on plastic bags.

Das ist sinnvoll, finde ich, denn weniger Iren benutzen nun Plastiktüten.

That is sensible, I think, because fewer Irish people now use plastic bags.

Sie verstehen, dass sie umweltfeindlich sind.

They understand that they are bad for the environment.

Mehr Leute kaufen jetzt wiederverwertbare Sachen, wenn sie einkaufen gehen.

More people are now buying recyclable things when they go shopping.

Irische Schüler sind auch umweltbewusst.

Irish pupils are also environmentally aware.

Sie kaufen manchmal recyceltes Papier.

They sometimes buy recycled paper.

Mehr irische Familien sortieren ihren Hausmüll.

More Irish families sort their domestic waste.

Sie haben verschiedene Mülltonnen für verschiedene Abfälle.

They have different bins for different waste products.

Iren gehen nun häufiger zur Recyclinganlage.

Irish people are going more frequently to the recycling centre now.

Sie geben Flaschen, Dosen, Zeitungen und alte Kleider ab.

They bring bottles, cans, newspapers and old clothes.

Machen Sie drei Vorschläge, wie sich jeder umweltfreundlicher verhalten kann. Was tun Sie für die Umwelt?	**Suggest three ways in which every person can behave in a more environmentally friendly way. What do you do for the environment?**

Wir können alle Energie sparen.

We can all save energy.

Man könnte in jedem Haus und Büro Energiesparlampen benutzen.

We could use energy-saving lights in every house and office.

Wir könnten alle unsere Häuser weniger heizen oder bessere Wärmedämmung haben.

We could all heat our houses less or have better insulation.

Um die Zahl der Autos zu reduzieren, könnten wir öfter mit dem Fahrrad, dem Bus oder der Bahn fahren.	*To reduce the number of cars we could travel more often by bike, bus or rail.*
Lieber zu Fuß gehen! Das hilft der Umwelt und ist gesund.	*Preferably walk! That helps the environment and is healthy.*
Beim Einkaufen könnte jeder Plastiktüten und unnötige Verpackung meiden.	*When shopping each person could avoid plastic bags and unnecessary packaging.*
Wir könnten alle unseren Müll trennen und mehr Sachen wiederverwerten.	*We could all separate our waste and recycle more things.*
Ich kaufe möglichst nur umweltfreundliche Sachen.	*As far as possible I buy only environmentally friendly products.*
Ich gehe lieber zu Fuß in die Stadt.	*I prefer to walk to town.*
Ich bringe oft Sachen zur Recyclinganlage.	*I often bring things to the recycling centre.*
Ich interessiere mich für den Umweltschutz.	*I am interested in the protection of the environment.*
Ich bin Mitglied eines Umweltschutzvereins.	*I am a member of an environment protection society.*

Past exam questions: Topical writing

2004

Schauen Sie sich das Bild unten an.

- Beschreiben Sie in **drei bis vier** Sätzen, was Sie auf dem Bild sehen.
- Nennen Sie **drei** mögliche Gründe, warum es dem Jungen zu Hause nicht mehr gefällt.
- Was für Pläne hat der Junge jetzt wohl? Wo wird er wohnen? Was wird er tun? Machen Sie **drei** Vorschläge!
- Was würden Sie selbst im Alter von zwanzig Jahren vorziehen – im Elternhaus zu wohnen oder auszuziehen und Ihre eigene Wohnung zu haben? Begründen Sie Ihre Wahl!
- Wie lernt man Ihrer Meinung nach am besten, selbständig zu sein? Was bedeutet „frei sein/Freiheit haben" für Sie in Ihrem persönlichen Leben? Geben Sie mehrere Beispiele.

(Write approximately **160 words**.)

Sample answers

1   Ein Junge zieht aus dem Elternhaus aus. Er hat viel Gepäck. Die Eltern sehen verblüfft aus. Sie fragen ihren Sohn, warum er auszieht. Er antwortet, dass er endlich frei sein will.

Es gefällt dem Jungen offenbar nicht mehr zu Hause. Vielleicht sind seine Eltern zu streng. Er darf vielleicht in seinem Zimmer keine laute Musik spielen oder er darf nicht in die Disko gehen. Vielleicht kommt er mit seinen Eltern nicht gut aus. Es gibt einen Generationskonflikt. Die Eltern und der Sohn haben unterschiedliche Interessen. Vielleicht streiten sie sich oft. Oder der Junge will einfach selbständig sein. Er liebt seine Eltern, aber er will seine eigenen Entscheidungen treffen. Er will Freiheit.

Er wird wahrscheinlich bei Freunden in deren Wohnung einziehen. Er wird einen Nebenjob suchen und Geld verdienen. So kann er die Miete bezahlen. Er wird für sich selbst kochen, und essen und schlafen, wann er will. Er wird öfter in die Disko oder in ein Konzert gehen und spätabends zurückkommen.

Ich glaube, ich würde lieber im Alter von zwanzig Jahren ausziehen. Ich verstehe mich gut mit meinen Eltern, aber mit zwanzig möchte ich selbständig sein. Ich möchte meine eigene Wohnung haben. Es wäre schön, frei zu sein. Ich könnte mehr unternehmen. Ich könnte öfter und länger ausgehen und meine Freizeit selbst gestalten.

Wenn man aus dem Elternhaus auszieht und in eine eigene Wohnung einzieht, lernt man schnell, selbständig zu sein. Man muss für sich selbst kochen. Man muss die Miete bezahlen. Man lernt, mit Geld umzugehen. „Frei sein" bedeutet für mich, selber entscheiden zu können, was man macht. Niemand würde meine Entscheidungen beeinflussen. Ich möchte am Wochenende mehr ausgehen und später nach Hause kommen. Ich möchte meinen Urlaub selbst wählen und allein oder mit Freunden in Urlaub fahren. Ich könnte meine eigene Wohnung haben und sie nach meinem Geschmack einrichten.

2   Ich sehe zwei Eltern und einen Jungen. Der Junge hat sein ganzes Gepäck bei sich und zieht aus. Die Eltern sind erstaunt. Sie verstehen nicht, warum ihr Sohn sie verlässt.

Vielleicht hat der Junge sich gerade mit seinen Eltern gestritten. Der Junge ist deshalb böse und hat sich entschieden, auszuziehen. Vielleicht hat ein

Freund ein freies Zimmer in seiner Wohnung und der Junge will gleich einziehen. Der Junge sagt, dass er frei sein will. Wahrscheinlich will er nicht mehr von den Eltern abhängig sein.

Er wird wahrscheinlich in ein Haus oder in eine Wohnung in der Stadt ziehen. Er wird vielleicht die Miete mit Freunden teilen. Er wird wahrscheinlich arbeiten und Geld verdienen. Er wird vielleicht mehrere Partys in der Wohnung veranstalten, was bei den Eltern nicht erlaubt war. Er wird sicher mehr Spaß haben.
Mit zwanzig würde ich es vorziehen, auszuziehen und meine eigene Wohnung zu haben. Wenn ich sie mir leisten kann! Ich möchte mein eigenes Geld verdienen und selbständig sein. Mit zwanzig ist man erwachsen und man sollte meiner Meinung nach in diesem Alter nicht mehr auf die Eltern angewiesen sein.

Wenn man mit der Schule fertig ist und auf die Universität geht, lernt man am besten, selbständig zu sein. Dort ist die Disziplin nicht so streng wie in der Schule und man ist auf sich selbst angewiesen. Wenn man einen Beruf hat und sein eigenes Geld verdient, lernt man auch, selbständig zu sein. „Freiheit haben" bedeutet mir persönlich viel. Ich würde meine eigenen Entscheidungen treffen, was Kleidung und Hobbys betrifft. Ich würde mit Freunden statt mit den Eltern in Urlaub fahren. Ich würde ausgehen, wann und wie oft ich will, ohne gefragt zu werden, wohin ich gehe und wann ich zurückkomme. Ich würde selbst entscheiden, wann ich ins Bett gehe, wann ich lerne und wann ich Musik höre. Ich würde gern mein eigenes Geld verdienen und es ausgeben, wie ich will.

2005

Schauen Sie sich die Karikatur genau an.

- Beschreiben Sie in **drei bis vier Sätzen**, was Sie in der Karikatur sehen.
- Es ist kurz vor Weihnachten und Sie und Ihre Familie kaufen für das Fest ein. Was gehört für Sie auf jeden Fall in den Einkaufswagen? Begründen Sie auch, warum.
- Schon viele Wochen vor dem Fest beginnt das Geschäft mit Weihnachten. Die Leute sollen so viel wie möglich kaufen. Wie finden Sie das? Könnten Sie sich auch ein Weihnachten ganz ohne Geschenke vorstellen? Begründen Sie Ihre Antwort.
- Gerade an Weihnachten fühlen sich viele Menschen einsam und allein. Geben Sie **drei** mögliche Gründe dafür an.
- Feste haben die Menschen schon immer gefeiert. Welches Fest in Ihrem Land gefällt Ihnen besonders gut und warum? Welches Fest gefällt Ihnen nicht? Warum nicht?

(Write approximately **160 words.**)

Sample answers

1 In dem Einkaufswagen sieht man Maria, Josef und den kleinen Jesus. Maria scheint ein bisschen traurig zu sein. Die Heilige Familie symbolisiert die richtige Bedeutung von Weihnachten, aber der Einkaufswagen symbolisiert den ganzen Weihnachtskonsum.

Ich würde vor allem Schokolade, CDs und einige gute Krimis kaufen. Ich esse sehr gern Schokolade. Ich höre gern Musik und an Weihnachten kann man sehr gute CDs bekommen. Da ich mich auf die Ferien freue, würde ich zwei oder drei gute Krimis kaufen und sie während der schönen Tage nach Weihnachten vor dem Kamin lesen.

Ich finde den ganzen Konsum und die ganze Hektik vor Weihnachten furchtbar. Das Geschäft mit Weihnachten scheint jedes Jahr früher zu beginnen. Man hat das Wichtigste an Weihnachten vergessen, nämlich die Geburt Jesu. Ich könnte mir kaum ein Weihnachten ohne Geschenke vorstellen. In den Wochen vor Weihnachten suchen die Leute nach Geschenken für Familie und Freunde. Es ist eine alte Tradition. Also, ein Weihnachten ohne Geschenke? Unmöglich!

Viele Menschen fühlen sich gerade an Weihnachten einsam und allein. Das Fest ist vor allem ein Familienfest und einige Menschen haben keine Familie. Sie wohnen allein und während andere Leute feiern, ist es sehr einsam für sie. Verwitwete Leute fühlen sich an Weihnachten auch sehr einsam. Wenn der Ehepartner oder die Ehepartnerin stirbt, ist Weihnachten sehr schwer. Für arme Menschen ist es an Weihnachten auch nicht leicht. Sie sehen den ganzen Konsum um sich und können sich die teuren Sachen nicht leisten. Sie fühlen sich dann sehr isoliert und einsam.

Mein Lieblingsfest ist tatsächlich Weihnachten. Ich mag die kommerziellen Aspekte zwar nicht, aber als Familienfest ist Weihnachten sehr schön. Man feiert Weihnachten meistens mit der Familie. Man besucht Verwandte und Freunde. Man singt Weihnachtslieder und die ganze Stimmung ist toll. Der Sankt-Patricks-Tag gefällt mir nicht besonders. Es ist zwar schön, einen schulfreien Tag zu haben, aber ich mag die ganzen Umzüge nicht und es wird einfach zu viel Alkohol getrunken.

2 Mitten im Einkaufswagen befindet sich das Jesuskind mit seinen Eltern Maria und Josef. An Weihnachten soll die Geburt Jesu gefeiert werden. Der Einkaufswagen zeigt aber die kommerzielle Seite des Festes. Das Geschäft ist nämlich wichtiger als die Geburt Jesu.

Für mich gehören viele Geschenke in den Einkaufswagen. Ich gebe und erhalte gern Geschenke. Ich möchte auch die traditionellen Speisen im Einkaufswagen sehen. Ich esse gern Truthahn. Da ich sehr gern den Weihnachtsbaum schmücke, würde ich auch Weihnachtsschmuck kaufen.

Das Geschäft mit Weihnachten beginnt schon viele Wochen vor Weihnachten. Das finde ich unverschämt! Ich kaufe auch gern Geschenke, aber erst eine Woche vor Weihnachten! Schon mehrere Wochen vor Weihnachten sieht man Werbung für teure Spielzeuge im Fernsehen. Das ist besonders schwer für arme Familien mit Kindern. Es erzeugt so viel Druck. Ein Weihnachten ohne Geschenke? Das ist unvorstellbar! Es wäre schön, aber auch unrealistisch. Der Konsumzwang ist zu groß und man kann die Werbung einfach nicht vermeiden.

Es gibt Menschen, die sich an Weihnachten allein und einsam fühlen, weil sie vielleicht obdachlos sind. Familien feiern zusammen und einige Menschen haben kein Zuhause. Natürlich fühlen sie sich einsam. Alte Leute und Leute, deren Kinder im Ausland wohnen, können sich um diese Zeit auch sehr einsam fühlen. Sie vermissen ihre Kinder. Armut ist auch ein Grund, warum Leute sich einsam fühlen. Sie haben nicht genug Geld, um richtig zu feiern, und sehen überall Leute, die unheimlich viel Geld ausgeben.

Weihnachten gefällt mir nicht besonders. Ich mag natürlich die Ferien und die Geschenke, aber ich finde den ganzen Betrieb vor Weihnachten furchtbar. In den Warenhäusern kann man sich kaum bewegen. Der erste Weihnachtstag kann auch langweilig sein. Man isst zu viel, man trinkt zu viel und man sieht zu viel fern. Ostern ist mein Lieblingsfest. Das Fest ist nicht so hektisch und kommerziell wie Weihnachten (trotz der vielen Ostereier!). Es ist Frühling. Die Tage werden länger. Das Wetter wird wärmer und man beginnt schon, an die langen Sommerferien zu denken!

2009

Schauen Sie sich das Foto genau an.

- Beschreiben Sie in **drei** bis **vier** Sätzen, was Sie auf dem Foto sehen.
- Zusammen lernen oder lieber allein lernen? Was machen Sie lieber? Warum? Was sind die Vorteile und Nachteile dieser unterschiedlichen Arbeitsformen?
- Am Ende ihrer Schulzeit müssen sich junge Menschen für ihren zukünftigen Beruf entscheiden. Was ist Ihr persönlicher Berufswunsch? Wie haben Sie Ihre Entscheidung getroffen? Was erhoffen Sie sich von dieser Berufswahl?
- Es gibt immer noch typische Männerberufe und Frauenberufe. Woran liegt das Ihrer Meinung nach? Wie finden Sie das? Würden Sie als Frau einen typischen Männerberuf/als Mann einen typischen Frauenberuf ergreifen? Begründen Sie Ihre Antwort.
- Viele junge Menschen entscheiden sich dafür, direkt nach der Schule oder während des Studiums für längere Zeit ins Ausland zu gehen. Welche Gründe sprechen Ihrer Meinung nach dafür, welche dagegen? Nennen Sie insgesamt **drei** Gründe.

(Write approximately **160 words**.)

Sample answers

1   Auf dem Foto sind drei junge Leute. Sie liegen draußen im Gras. Das Wetter ist schön. Sie tragen leichte sommerliche Kleider und machen ihre Hausaufgaben zusammen. Sie haben Bücher, Hefte und Kulis.

Zusammen lernen oder lieber allein lernen? Ich persönlich finde es besser, allein zu lernen. Ich kann mich besser konzentrieren und ich brauche meine Ruhe. Meine Freunde würden mich sicher ablenken. Ich glaube, wir würden uns unterhalten, statt zu lernen! Andererseits kann ich verstehen, warum Schüler manchmal zusammen lernen. Das Lernen ist nicht so langweilig. Man kann einander helfen. Wenn ein Schüler in einem Fach schwach ist, können die Mitschüler ihm helfen.

Ich hoffe, Tierarzt zu werden. Ich lebe auf einem Bauernhof und bin gewöhnt, mit Tieren zu arbeiten. Ich liebe Tiere. Ich interessiere mich für Biologie und dieses Fach ist sehr wichtig für den Beruf als Tierarzt. Ich hoffe, einen interessanten Beruf zu haben. Ich hoffe, meinen Traum zu realisieren und auch viel Geld zu verdienen!

Ja, es gibt typische Männer- und Frauenberufe. Meiner Meinung nach liegt das an der Tradition. Früher blieben die meisten Frauen zu Hause und kümmerten sich um die Kinder. Deshalb hatten Frauen weniger Chancen in der Berufswelt. Heutzutage sind mehr Frauen berufstätig, aber sie müssen sich immer noch um die Kinder kümmern. Sie wählen Berufe, in denen sie mehr Zeit mit ihren Kindern verbringen können, zum Beispiel Grundschullehrerin. Männer dagegen wählen lieber einen Beruf wie Pilot oder Geschäftsmann. Ich finde, Männer und Frauen sollten die gleichen Berufschancen haben. Es ist mir egal, ob mein Beruf ein Männer- oder ein Frauenberuf ist. Hauptsache, ich finde den Beruf interessant.

Es ist eine tolle Idee, für längere Zeit ins Ausland zu gehen. Gleich nach der Schule ist man zu jung, um sich für eine lebenslange Karriere zu entscheiden. Man sollte zuerst Erfahrungen sammeln. Man sollte andere Länder und Kulturen kennen lernen, dann kann man besser entscheiden. Andererseits besteht die Gefahr, dass man das Interesse am Lernen verliert und nicht mehr zurück zum Studium geht. Das wäre schade. Man muss die Vor- und Nachteile abwägen, damit man die richtige Entscheidung trifft.

2   Ich sehe drei Schülerinnen. Sie lächeln und sehen sehr entspannt aus. Das Wetter scheint gut zu sein, denn sie sind im Freien. Sie lernen zusammen. Vielleicht haben sie eine wichtige Prüfung.

Ich lerne lieber mit meinen Freunden zusammen, obwohl meine Mutter dagegen ist. Es kommt allerdings auf die jeweiligen Personen an. Wenn die Freunde nur schwätzen oder Musik hören, statt Hausaufgaben zu machen, dann ist es Zeitverschwendung. Ich finde es aber sehr langweilig und stressig, allein zu lernen. Man kann von den Mitschülern viel lernen. Ich zum Beispiel finde Mathe schwer. Meine Freundin dagegen ist gut in Mathe. Sie hilft mir dabei. Wenn man mit einer Freundin zusammenarbeitet, vergeht die Zeit viel schneller und man fühlt sich nicht so gestresst.

Mein Traumberuf ist Grundschullehrerin. Ich arbeite gern mit Kindern. Ich habe schon an einem Sommercamp für kleine Kinder mitgearbeitet und es hat mir viel Spaß gemacht. Ich muss ehrlich sagen, dass ich die langen Sommerferien auch toll finde. Von dieser Berufswahl erhoffe ich mir einen interessanten und befriedigenden Beruf.

Ich weiß nicht genau, warum es typische Männer- und Frauenberufe gibt. Vielleicht liegt es an der Tradition. Ich finde es schade, denn es sollte Gleichberechtigung geben. Frauen sollten die gleichen Chancen wie Männer haben. Glücklicherweise ändert sich die Situation. Viele Frauen werden heutzutage Pilotinnen oder Ingenieurinnen und die Zahl der männlichen Krankenpfleger nimmt zu. Mein Berufswunsch ist eine persönliche Wahl und hat nichts mit dem Geschlecht zu tun.

Viele junge Menschen gehen für längere Zeit ins Ausland. Es gibt Gründe, die dafür und welche, die dagegen sprechen. Erstens hat man eine tolle Gelegenheit, eine neue Kultur zu erleben. Zweitens hat man die Chance, seine Fremdsprachkenntnisse zu verbessern, und das ist nützlich für einen späteren Beruf. Aber so eine Entscheidung kann auch Nachteile haben. Direkt nach der Schule ist man einfach zu jung, um von der Erfahrung wirklich zu profitieren. Ich finde es daher sinnvoller, zuerst das Studium zu beenden.

key point

It is very important to go back over every single sentence in your written tasks ('Äußerung zum Thema' and 'Schriftliche Produktion') and correct your mistakes. Refer to the grammar checklist at the beginning of this section (page 128).

6 Listening Comprehension (Aural)

aims
- To improve your understanding of spoken German.
- To be able to approach your Listening test with confidence.

The **Listening Comprehension** section is worth 80 marks (20% of the total).

The Listening Comprehension exam tests your ability to understand **spoken** German. It takes place just after the written paper and lasts approximately **40 minutes**.

There are **four** parts in the Listening test. They include:

- an **interview** with a German-speaking person
- a **telephone message**
- a **dialogue**
- a **news bulletin,** which usually includes a **weather report**

Each part is played **three** times.

Obviously, the best way to prepare for the Listening test is to **hear lots of German**.

If you have no contact with native speakers, you should use every opportunity to listen to German on **radio**, such as 'Deutsche Welle' (also accessible via www.dw-world.de), **German television channels**, such as ARD and ZDF (if you have access to German television), German films and CDs of past examinations.

While the questions on the **interview** and the **news bulletin** require **factual** information, the questions on the **phone message** and the **dialogue** also require a particular **technique** in answering. To this end, you will find **guided answers** to parts **two** and **three**.

REMEMBER:

1   Read the instructions on your paper carefully. You will hear 'Lesen Sie jetzt bitte die Fragen zu Teil I, II ...' Use this time wisely and then give the CD your **full concentration**.

2   Do not panic if you miss a piece of information on the first or even the second hearing. The parts are played **three** times.

3   **Do not leave any blanks.** If you don't know an answer after the third hearing, make an intelligent guess. You could be right!

4   Use the full line provided when answering. You do not necessarily have to answer in full sentences, but make sure your points are **clear and legible**.

5   In all parts of the Listening test, check that you have given the **correct** details, the **correct number** of details and that they have been written in the **correct space**.

First part: Interview

In this part there is an interview with a German-speaking person. It might be about a career path, a project, an organisation or a particular problem.

Included in past examinations have been interviews with:

- a person who works in a children's hospital
- a student involved in Third World projects
- a professional ballet dancer
- a fireman

- a person in search of accommodation
- a director of a charitable organisation
- a school caretaker
- a sociology student

In the exam the interview is played **three** times, the **second time** with **pauses**, to give you a chance to assimilate the information and write your answers.

The subject matter of this section is **wide** and **varied**. The more thorough your grasp of a **broad range of vocabulary** (available throughout the book), the more confident you will be in your answers.

Second part: Telephone message

There are **two** questions in this part. The first question asks you to write the message or key information in **German**. The second question asks for examples of **language** used by the speaker to express his or her feelings.

There has been a **wide variety** of phone messages in past examinations. They have included:

- a complaint to a party service
- a problem about a delivery of furniture
- an anxious call regarding participation in a stunt school
- a worried caller reporting an attack
- a call to the police by a person stuck in a lift

- a delighted call about a prize trip to Bali
- a complaint about a job
- a complaint about a reservation in a youth hostel
- a call to the German Rail Lost Property Office

The first task is to write the telephone message in **German**. You need not use full sentences. **Key words** are sufficient.

key point

You will lose marks here if you answer in English.

Teil II: Guided answer

Track 1

(Transcripts for the guided answers can be found on pages 208–209)

In the 2009 exam, an agent of the German Rail Lost Property Office takes a message.

Question 1

You are asked to write down **in German** the key information the official puts in his note of the conversation. The note should contain:

- the caller's name
- the problem the caller has
- details regarding further contact/action to be taken
- the caller's phone number

Make sure you know the **alphabet in German** as names of callers are usually spelt out. Pay particular attention to the vowels **'i'** (pronounced **'ee'**) and **'e'** (pronounced **'ay'**). The mark awarded is **all or nothing**.

After you have written the name of the caller, you have to fill in the information about the train that the lady was travelling on and then give an **exact** description of the camera phone that she lost. The words 'Regionalexpress', 'Hannover' and 'Neustadt' are **not spelt out**. Don't worry! In this case you will be awarded the marks if your **spelling is close**.

The description of the camera phone can be written in key words.

You then tick the box that indicates the next step for the caller.

Finally, you give the **telephone number** of the caller.

Know your **numbers in German**! As with the alphabet, the mark awarded is **all or nothing**.

The answers are in **handwriting type** and the **marks** awarded are shown in **red bold type** and in **brackets**.

Solution to question 1

Gesprächsnotiz: Fundbüro der Deutschen Bahn
Anruf von: *SCHENKER* **(1, all or nothing)**
Problem: Zug *Regionalexpress* **(1)** von *Han(n)over* **(1)**
nach *Neustadt* **(1)**
Abfahrt um *16.25* **(1)** Uhr
Ankunft um *16.50* **(1)** Uhr
Was verloren?/Genaue Beschreibung: *Silber, Samsung, zerkratzt, ein* *Aufklapp-Foto-Handy, hat einen Apfel/Anhänger/Fotos von der Party*
(any two of these details, 2 marks)
Anrufer/in:
wird innerhalb der nächsten zwei Wochen kontakiert ☐
erhält einen Rückruf, sobald Näheres in Erfahrung gebracht worden ist **(2)** ☑
soll sich im Laufe des Tages noch einmal melden ☐
braucht nicht mehr anzurufen ☐
Kontaktnummer: (Vorwahl) *05032* (Rufnummer) *916066* **(2)** (all or nothing)

You should be familiar with the following phrases. They indicate the steps that can be taken with regard to the caller.

Anrufer/in ...   *Caller ...*
  erhält einen Rückruf.   *will receive a call back.*
  erhält so schnell wie möglich einen Rückruf.   *will receive a return call as soon as possible.*
  ruft in 20 Minuten zurück.   *will call back in 20 minutes.*
  wird zurückrufen.   *will call back.*
  erwartet einen Rückruf.   *is expecting a call back.*
  wird e-mailen/schickt eine E-Mail.   *will email.*
  erwünscht einen Rückruf.   *would like a call back.*
  möchte ein Treffen.   *would like a meeting.*
  wird morgen zurückgerufen.   *will be called back tomorrow.*
  bittet um einen Termin.   *requests a meeting.*

wird sich wieder melden.   *will get in touch again.*
wird einen Anruf vom Chef persönlich erhalten.   *will receive a personal call from the boss.*
besteht auf einem Treffen.   *insists on a meeting.*
wird sich mit ... in Verbindung setzen.   *will contact ...*
kann erst morgen einen Anruf entgegennehmen.   *can't take a call until tomorrow.*

Some familiar time phrases

innerhalb der nächsten Stunde/Woche   *within the next hour/week*
im Laufe des Tages   *during the course of the day*
heute Abend   *this evening*
am Wochenende   *at the weekend*
morgen Nachmittag   *tomorrow afternoon*
in einer halben Stunde   *in half an hour*
Ende der Woche   *end of the week*
morgen früh   *tomorrow morning*
spätestens übermorgen   *the day after tomorrow at the latest*
wieder/noch einmal   *again/once more*
nächste Woche   *next week*
bis heute Mittag   *by midday today*

Question 2

The remaining **6 marks** are awarded to the **three** examples of **language** required. You are asked to write down **three** examples of the language used in the conversation to show that the caller has a **pessimistic outlook**.

Language means specific **expressions and phrases**. No marks are awarded for tone of voice. You can give the **exact phrase in German or paraphrase accurately in English**.

Solution to question 2

Any **three** of the following answers would be accepted: (**6 marks**)

Ich bin sicher, das hat jemand mitgenommen.   *I'm sure somebody took it.*
So was kann auch nur mir passieren ...   *It could only happen to me ...*
Ich glaube nicht, dass ich das Handy wiederbekomme.   *I don't think I'll get the mobile phone back.*
Ich weiß nicht einmal genau, wo wir gesessen haben.   *I don't even know where we were sitting.*
Glauben Sie, dass ich mein Handy wiederbekomme?   *Do you think that I'll get my mobile phone back?*
Ich sehe da echt schwarz!   *I'm really pessimistic about this!*
Ich kann mir echt nicht vorstellen, dass das Handy abgegeben wird.   *I can't imagine that the mobile phone will be handed in.*

It is reassuring to know that there are normally more examples than needed. Therefore, don't worry if you don't understand all of them. It is also advisable to give more than you are asked for. In that way, if you get one wrong **you may still get full marks**!

The following vocabulary will help you with the **second** question in this part, the use of **language**. Generally, this question tests the use of language to express **feelings**.

Confusion/helplessness

Ich verstehe das (überhaupt) nicht.   *I don't understand (at all).*
Das müssen Sie mir erklären.   *You must explain that to me.*
Das muss ein Irrtum sein.   *That must be a mistake.*
Das ist mir unklar.   *That is not clear to me.*
Es ist ein totales Rätsel.   *It is a complete puzzle.*
Es ist mir peinlich.   *I'm embarrassed.*
Es fällt mir nicht leicht.   *It is not easy for me.*
Ich bin wirklich ratlos.   *I'm really at a loss.*
Sie müssen das Problem lösen.   *You must solve the problem.*

Worry/anxiety

Ich mache mir Sorgen.   *I'm worried.*
Wir sind besorgt.   *We are worried.*
Ich habe (furchtbare) Angst.   *I'm (terribly) worried/afraid.*
Der Gedanke ist schrecklich.   *The thought is terrible.*
Ich weiß vor Sorge weder ein noch aus.   *I'm at my wits' end with worry.*
Um Gottes willen.   *For God's sake.*

Panic/urgency

Ich habe die totale Panik.   *I'm in total panic.*
Ich muss unbedingt mit ... sprechen.   *I absolutely have to speak with ...*
Bitte helfen Sie mir!   *Please help me!*
Ich halte es nicht mehr aus.   *I can't stand it any more.*
Es ist sehr dringend.   *It is very urgent.*

Joy/gratitude

Ich freue mich so.   *I'm so happy/pleased.*
Das ist toll/klasse.   *It is great/fantastic.*
eine tolle Erfahrung   *a great experience*
Stell dir vor!   *Imagine!*
Ich könnte in die Luft springen.   *I could jump into the air.*
Sie ist außer sich vor Freude.   *She is beside herself with joy.*
Wir haben ... gewonnen!   *We won ... !*
Ich bedanke mich.   *I thank you.*
Wir sind sehr dankbar.   *We are very grateful.*

Surprise

So eine Überraschung! *Such a surprise!*

Ich bin (wirklich) erstaunt. *I am (really) astonished.*

Erstaunlich! *Astonishing!*

Es ist kaum zu glauben! *It is hard to believe.*

Unglaublich! *Incredible!*

Dissatisfaction/annoyance

Ich möchte mich beschweren. *I would like to make a complaint.*

Ich verlange, dass ... *I demand that ...*

Das geht (einfach) nicht. *That simply won't do.*

Das ist die absolute Höhe! *That is the absolute limit.*

Es reicht mir! *I've had enough!*

Das ist ja unerhört! *That is quite outrageous.*

Das ist eine Schande! *That is a disgrace.*

Das ist unverschämt! *That is outrageous.*

Es ist einfach nicht akzeptabel. *It is simply not acceptable.*

Other phrases used in telephone conversations

Wie ist Ihre Handynummer? *What is your mobile phone number?*

Ich gebe Ihnen meine Handynummer. *I'll give you my mobile phone number.*

Könntest du ihm eine Nachricht von mir geben? *Could you give him a message from me?*

Er soll mich heute Abend bei meiner Oma anrufen. *He should ring me this evening at my granny's house.*

Herr Klett ruft Sie in der nächsten halben Stunde zurück. *Herr Klett will call you back in the next half hour.*

Die Vorwahl von Münster ist 0251. *The dialling code for Münster is 0251.*

Ich werde es ausrichten. *I'll pass on the message.*

Ich werde es Herrn Bach ausrichten. *I'll pass on the message to Herr Bach.*

Könnte mich Frau Lenz unter meiner Büronummer zurückrufen? *Could Frau Lenz call me back at my office number?*

Unser Chef kommt morgen erst aus München zurück. *Our boss is not returning from Munich until tomorrow.*

Geben Sie mir doch Ihre Nummer und er ruft Sie morgen umgehend an. *But give me your number and he'll call you promptly tomorrow.*

Ich bedanke mich und warte dann auf seinen Rückruf. *I thank you and shall await his return call.*

Unter welcher Nummer kann ich Sie erreichen? *At what number can I reach you?*

Sie wird Sie persönlich anrufen, sobald sie zurück ist. *She will call you personally as soon as she is back.*

Auf Wiederhören! *Goodbye!*

Third part: Dialogue

In this part you are asked to **identify a relationship** between two speakers and give indications to support your choice. You may also be asked to describe **attitudes, feelings** or **reactions**.

key point

Listen carefully to **how** the speakers address each other. Do they use **'du'** or **'Sie'**? Is the language **formal** or **informal**? Do they refer to family, friends or business associates?

Track 2

Teil III: Guided answer

In the 2008 exam, there is a conversation between Lars and Frau Bergmann.

Question 1

(i) You must choose the correct answer from the following suggestions. The conversation is between:

    (a) an old lady and a stranger   ☐

    (b) a grandmother and nephew   ☐

    (c) two neighbours   ☐

    (d) two joggers in a park   ☐

(ii) You must now give **two indications** from the conversation to support your choice.

The conversation begins with a greeting from Lars to Frau Bergmann. Listen to her response: 'Ach, der Lars von nebenan!' (*Lars from next door*) Immediately, you have the answer: they are **two neighbours**. If you didn't understand 'nebenan' or if you didn't hear it, there is no need to worry. There are other clues. Frau Bergmann continues: 'Hier draußen im Park ist es viel angenehmer bei der Hitze als bei uns in der Lessingstraße' (a reference to where they both live – Lessingstraße). Lars continues: 'Ja, leider haben unsere Wohnungen ja keinen Balkon' (note: 'our apartments'). A moment later, he says: 'Vielleicht seh' ich Sie später noch auf dem Nachhauseweg' (he might see Frau Lars on the way home).

Solution to question 1

The answer to question 1 (i) is (c), two neighbours. (**1 mark**)

Any **two** of the following would be correct for part (ii): (**2 marks**)

- Lars from next door (*der Lars von nebenan*)
- mention of our street (*als bei uns in der Lessingstraße*)
- our apartments (*unsere Wohnungen*)
- might see each other on the way home (*Vielleicht seh' ich Sie auf dem Nachhauseweg*)

Question 2

(i) asks which **adjective** best describes Frau Bergmann's **reaction** during the conversation.

(a) understanding ☐
(b) diplomatic ☐
(c) indifferent ☐
(d) annoyed ☐

(ii) requires **two** details to support your choice.

Frau Bergmann comments on the amount of rubbish (*Müll*) in the park around the skate ramp. She uses a lot of expressions that clearly show her **annoyance**.

You have more than you need to give an accurate answer. Listen carefully to the strong statements and language used.

Solution to question 2

The answer to Question 2 (i) is (d), annoyed. (**1 mark**)

(ii) Any **two** of the following details would support your choice. (**4 marks**)

- You should see it! (*Da sieht es ja vielleicht aus.*)
- really bad   (*Ganz schön schlimm.*)
- It is incredible. (*Es ist einfach unglaublich.*)
- rubbish/pizza boxes/cans/beer bottles (*Müll/Pizzakartons/Getränkedosen/ Bierflaschen*)
- Why don't they clean up their rubbish? (*Warum räumen die dann ihren Müll nicht weg?*)
- That's not on! (*Das geht doch nicht!*)
- Who is supposed to clean up ... (*Wer soll dann den Müll wegmachen ...*)
- The young people should not simply throw the rubbish away. (*... sollten die Jugendlichen nicht einfach den Müll wegwerfen.*)
- I will make a complaint. (*Ich werde mich beschweren.*)

Question 3

(**i**) You are asked to describe **two** of the arguments used by Lars to stand up for himself. First of all he mentions a 'mega party' that was held there yesterday, but he wasn't there. There are other clear arguments that he puts to Frau Bergmann.

(**ii**) You are asked what actions Frau Bergmann and Lars are going to take as a solution to the problem.

Solution to question 3

(**i**) Any **two** of the following would be correct: (**2 marks**)

- He wasn't there. (*Ich war nicht dabei.*)
- The town is supposed to clean up the park. (*Die Stadt hält den Park doch auch sauber, oder nicht?*)
- It wasn't his rubbish. (*Mein Müll war es nicht.*)
- There should be more rubbish bins. (*Die Stadt sollte auch mehr Abfallkörbe im Park aufstellen.*)
- There is not a single one near the skate ramp. (*Um die Skaterbahn herum gibt es keinen einzigen Abfallkorb.*)

(**ii**) Any **two** of the following would be accepted: (**6 marks**)

- Frau Bergmann will ring up. (*Ich werde ... bei der Stadtverwaltung anrufen.*)
- Frau Bergmann will complain. (*mich beschweren*)
- Lars will get a rubbish bag. (*... hole einen großen schwarzen Müllsack*)
- Lars will pick up the rubbish. (*... um den Müll einzusammeln*)

Past examinations have included: conversations between friends, classmates, two members of a project group, a caretaker and a school principal, neighbours, a boss and an employee, a girlfriend and boyfriend, and twin sisters.

Fourth part: News bulletin

In the exam, the news bulletin, which usually includes a weather report, is played three times, the **second time with pauses**. Questions are asked and answered in **English**. As in the case of the First Part (the interview), there is a wide variety of subjects, and a broad grasp of vocabulary will help you to confidently answer the questions. There are, however, certain categories of vocabulary generally associated with this part and you should become familiar with them. On the following pages, you will find some useful words and expressions. Remember, there is a wealth of vocabulary in the Written Section of this book which covers some of the topics relevant to the Listening test.

News topics

Unfälle (Accidents)

der Unfall   *accident*
der Augenzeuge   *eye witness*
der Stau   *traffic jam*
die Wartezeit   *waiting time*
die hohe Geschwindigkeit   *high speed*
der Verkehr   *traffic*

die falsche Fahrbahn   *wrong side of the road*
die Ampel   *traffic lights*
die Insassen   *occupants*
der Beifahrer/die Beifahrerin   *front seat passenger*
die Ursache   *cause*
die Bremsen   *the brakes*
das Kennzeichen   *registration number*
der Führerschein   *driving licence*
schwere Verletzungen   *serious injuries*
Alkohol am Steuer   *driving under the influence of alcohol*
der Alkoholeinfluss   *influence of alcohol*
der Krankenwagen   *ambulance*
der Sachschaden   *damages*

schwer/leicht verletzt   *seriously/slightly injured*
bewusstlos   *unconscious*
betrunken   *drunk*
angeschnallt   *wearing a seat belt*
tödlich   *fatal*

sterben (starb, gestorben)   *to die*
ums Leben kommen (kam, gekommen)   *to be fatally injured*
erleiden (erlitt, erlitten)   *to suffer*
zusammenstoßen mit   *to collide with*
prallen gegen   *to crash into*
überholen   *to overtake*
die Kontrolle/Herrschaft verlieren   *to lose control*

ins Krankenhaus gebracht werden   *to be brought to hospital*
röntgen   *to X-ray*
operiert werden   *to undergo an operation*
ins Schleudern kommen   *to go into a skid*
verunglücken   *to have an accident*

Gewalt (Violence)

das Attentat   *assassination*
der Mord   *murder*
der Terroranschlag   *terror attack*
die Bombendrohung   *bomb threat*
das Opfer   *victim*
die Geisel   *hostage*
der Täter   *perpetrator*

Katastrophen (Disasters)

der Vulkan   *volcano*
der Orkan   *hurricane*
der Waldbrand   *forest fire*
das Erdbeben   *earthquake*
das Hochwasser   *flood*
die Überschwemmung   *flood*
die Hungersnot   *famine*
der Krieg   *war*
die Lavine   *avalanche*
der Flugzeugabsturz   *plane crash*
die Dürre   *drought*

Das Wetter (Weather)

der Wetterbericht   *weather report*
die Wettervorhersage   *weather forecast*
die Aussichten   *prospects/outlook*

Here is a reminder of some **basic** weather vocabulary.

Es regnet.   *It's raining.*
Es friert.   *It's freezing.*
Es hagelt.   *There are hailstones.*
Es blitzt.   *There is lightning.*
Es donnert.   *It is thundering.*
Es schneit.   *It is snowing.*
Es ist neb(e)lig.   *It is misty.*
Es ist bedeckt.   *It is overcast.*
Es ist wolkig/bewölkt.   *It is cloudy.*

Other weather phrases:

der Sturm   *storm*
das Gewitter   *thunderstorm*
die Temperatur   *temperature*
die Hitzewelle   *heatwave*
der Schneeregen   *sleet*
der Nieselregen   *drizzle*
die Kaltfront   *cold front*
der Hochdruck/Tiefdruck   *high/low pressure*
die Luftfeuchtigkeit   *humidity*
einzelne/vereinzelte Schauer   *scattered showers*
der Niederschlag   *precipitation/rainfall*
die Sicht   *visibility*
zunehmende Aufheiterung   *gradually brightening up*
aufgelockert   *clouds despersed*
zeitweise Regen   *rain at times*
der Gefrierpunkt   *freezing point*
stellenweise Gewitter   *scattered thunderstorms*
die Höchsttemperaturen   *highest temperatures*
die Tiefsttemperaturen   *lowest temperatures*
niedrige Temperaturen   *low temperatures*
erhöhte Ozonwerte   *raised ozone levels*

Adjectives:

furchtbar   *terrible*
heiter   *bright*
trocken   *dry*
stürmisch   *stormy*
stark   *strong*
mäßig   *moderate*
schwach   *weak*
starker bis mäßiger Wind   *strong to moderate wind*

key point

Weather reports usually include a reference to geographical location. You may hear:

im Norden *in the north*	im Süden *in the south*
im Osten *in the east*	im Westen *in the west*

or combinations such as 'im Südwesten' or 'im Nordosten'.

You should be familiar with the names of the German States (*Bundesländer*). They are often mentioned in news bulletins.

Bundesländer

Baden-Württemberg	Niedersachsen
Bayern	Nordrhein-Westfalen
Berlin	Rheinland-Pfalz
Brandenburg	Saarland
Bremen	Sachsen
Hamburg	Sachsen-Anhalt
Hessen	Schleswig-Holstein
Mecklenburg-Vorpommern	Thüringen

Sample listening comprehension exam questions

Note: The instructions before each section are as they appear in the actual exam papers. For the purpose of this book, the recordings are played **only once**. You may play back the recordings as required.

Teil I

First part

Track 3

(Interview with Rachel Firk)

In the exam, the interview will be played **three** times: first right through, then in segments with pauses, and finally right through again.

1. (i) What do you learn about Rachel Firk? Give **three** details.
   (ii) Why does she speak German so well? Give **two** reasons.

2. (i) What factors influenced Rachel's decision to come to Germany?
   (ii) Why does she enjoy teaching children? Give **three** reasons.

3. (i) What are Rachel's duties in the school where she works? Mention **two**.
   (ii) How did the children help in the production of an English play? Give **details**.

4. (i) What happened after Rachel and the children recorded the play on a CD? Give **two** details.
   (ii) Who wants to buy materials for foreign language lessons?

5. What is Rachel thinking of doing when her contract in the school finishes?

Now check your answers against the CD script and solutions at the end of this section (page 210).

Teil II

Track 4

Second Part

You will now hear a telephone conversation. The secretary in a lost property office takes a message.

In the exam, to allow you to answer **Question 1** (the **note**), the phone call will be played **twice**, with a pause after each playing during which you should **fill in the box**. The phone call will then be played for a **third** and final time to allow you to answer **Question 2** (the **language** (expressions and phrases) of the call).

1. Write down **in German** the key information the secretary puts in her note of the conversation (**key words, not full sentences**).

The note should contain:

- the caller's name
- details regarding further contact/action to be taken
- the problem the caller has
- the caller's phone number

Anruf von: . . . .

Problem: . . . .

. . . .

. . . .

Die Anruferin:

- wird morgen einen Anruf erhalten. ☐
- ruft morgen zurück. ☐
- kommt morgen vorbei. ☐
- ruft heute Abend zurück. ☐

Telefonnummer der Anruferin: . . . .

2. In listening to the phone call for the **third** time, write down **three** examples of the language (**expressions and phrases**) used in the conversation to express the caller's gratitude.

Now check your answers against the CD script and solutions at the end of this section (page 211).

Teil III

Track 5

Third Part

You will now hear a conversation between Frau Michael and Frau Anders. In the exam, the dialogue will be played **three times**, with a pause after each playing.

1. (i) The conversation is between:

(a) two neighbours
(b) two friends
(c) a mother and daughter
(d) two grandmothers

☐

Indicate your choice by putting a, b, c or d in the box provided.

(ii) Find **two** indications in the conversation to support your choice.

2. (i) Which adjective best describes Frau Michael's reaction during the conversation?
    (a) cheerful
    (b) angry
    (c) doubtful
    (d) fearful

Indicate your choice by putting a, b, c or d in the box provided.

    (ii) Write down **two** details from the conversation to support your choice.

3. (i) What arguments does Frau Anders use to persuade Frau Michael to change her mind? Mention **two**.
    (ii) What does Frau Michael decide to do in the end?

Now check your answers against the CD script and solutions at the end of this section (page 212).

Teil IV

Fourth part

You will now hear three news items followed by the weather forecast. In the exam, the news will be played **three** times: the first time right through, then in **four** segments with pauses, and finally right through again. Answer **in English**.

(Item 1)

 Track 6

1. (i) Why are disabled people demonstrating? Give **two** details.
    (ii) Mention **two** ways in which they will draw attention to their aim.

(Item 2)

2. (i) What is the theme of the special event in Rostock?
    (ii) What countries are taking part?

3. What favourable outlook is announced for the region in the next three years?

(Item 3)

4. (i) What belief has existed with regard to Mozart's music?
    (ii) What conclusion have scientists in Vienna come to regarding this belief?

(Item 4: Weather forecast)

5. (i) What are the current weather conditions in Germany? Give details.
    (ii) What areas can expect strong winds?

Now check your answers against the CD script and solutions at the end of this section (page 213).

Transcripts for the listening comprehension guided answers

Teil II

Lesen Sie jetzt bitte die Fragen zu Teil II.

Anruf beim Fundbüro der Deutschen Bahn

Angestellter:	Hier ist das Fundbüro der Deutschen Bahn, guten Tag, wie kann ich Ihnen helfen?
Leonie:	Ja, guten Tag, hier spricht Leonie Schenker. Ich habe ein Problem, so was kann auch nur mir passieren!
Angestellter:	Worum geht es denn?
Leonie:	Also, ich war heute mit meiner Freundin zum Einkaufen in der Stadt. Wir sind mit dem Zug zurückgefahren und jetzt ist mein Fotohandy weg! Ich bin sicher, das hat jemand mitgenommen.
Angestellter:	Also mal ganz langsam. Ich notiere mir zuerst einmal die genauen Details. Geben Sie mir Ihre Zugverbindung durch, bitte. Von welchem Bahnhof sind Sie zurückgefahren und wohin?
Leonie:	Wir sind heute Nachmittag um 16.25 Uhr vom Hauptbahnhof in Hannover losgefahren, nach Neustadt. Der Zug ist um 16.50 Uhr in Neustadt angekommen.
Angestellter:	Was war das für ein Zug?
Leonie:	Der Regionalexpress.
Angestellter:	Ich wiederhole: Hannover ab 16.25 Uhr, Neustadt an 16.50 Uhr, mit dem Regionalexpress.
Leonie:	Genau. Ich glaube nicht, dass ich das Fotohandy wiederbekomme. Ich weiß nicht einmal genau, wo wir gesessen haben. So ein Pech aber auch, da waren die Fotos von der Party bei Luca drauf.
Angestellter:	Was war das denn für ein Handy?
Leonie:	Es war ein silbernes Samsung-Handy. Schon etwas zerkratzt. Ein Aufklapp-Fotohandy. Es hat einen Handy-Anhänger, einen kleinen bunten Apfel.
Angestellter:	Gut, das habe ich mir alles notiert.
Leonie:	Glauben Sie, dass ich mein Handy wiederbekomme? Ich sehe da echt schwarz! Ich kann mir echt nicht vorstellen, dass das Handy abgegeben wird.
Angestellter:	Nun warten Sie mal ab. Wir rufen Sie zurück, sobald wir Näheres wissen. Dazu brauche ich noch Ihren Namen und Ihre Telefonnummer.
Leonie:	Also, das ist Schenker. S-C-H-E-N-K-E-R, unter der 05032 für Neustadt. Unsere Rufnummer ist 91 60 66.

Angestellter: Also, S-C-H-E-N-K-E-R, Schenker. Telefon 05032 für Neustadt, Rufnummer ist die 91 60 66. Gut, wir benachrichtigen Sie, sollte das Handy abgegeben werden.

Teil III

 Track 2

Lesen Sie jetzt bitte die Fragen zu Teil III.

Lars spricht mit Frau Bergmann im Park

Lars: Hallo, Frau Bergmann! Tolles Wetter, nicht?

Frau Bergmann: Ach, der Lars von nebenan! Ja, hier draußen im Park ist es viel angenehmer bei der Hitze als bei uns in der Lessingstraße, oder?

Lars: Ja, leider haben unsere Wohnungen ja keinen Balkon. Also, ich geh' jetzt 'ne Runde hier im Park skaten. Vielleicht seh' ich Sie ja später noch auf dem Nachhauseweg. Tschüs, Frau Bergmann!

Frau Bergmann: Warte mal, Lars. An der Skater-Rampe hier im Park bin ich gerade eben vorbeigelaufen. Also, da sieht's ja vielleicht aus! Ganz schön schlimm!

Lars: Wieso denn?

Frau Bergmann: Es ist einfach unglaublich! Jetzt hat man extra für euch Jugendliche eine neue Skater-Rampe im Park gebaut und … alles liegt voller Müll! Pizzakartons, Getränkedosen, Bierflaschen …

Lars: Da haben einige Jugendliche gestern Abend wohl eine Megaparty steigen lassen, aber ich war nicht dabei, Frau Bergmann!

Frau Bergmann: Ja, und warum räumen die dann ihren Müll nicht weg? Das geht doch nicht! Wer soll denn den Müll wegmachen?

Lars: Aber der Park ist doch ein öffentlicher Park und gehört der Stadt. Und die Stadt hält den Park doch auch sauber, oder nicht?

Frau Bergmann: Ja, das stimmt schon. Trotzdem sollten die Jugendlichen nicht einfach achtlos den Müll wegwerfen. Das geht doch nicht!

Lars: Also, mein Müll war es nicht! Nun aber mal ehrlich, Frau Bergmann, ich finde, die Stadt sollte auch mehr Abfallkörbe im Park aufstellen! Um die Skater-Rampe herum gibt es keinen einzigen Abfallkorb!

Frau Bergmann: Da hast du natürlich auch Recht. Wenn keine Abfallkörbe da sind, werfen die Jugendlichen den Müll einfach weg. Ich werde nachher mal bei der Stadtverwaltung anrufen und mich beschweren.

Lars: Machen Sie das, Frau Bergmann. Und ich skate mal kurz nach Hause und hole einen großen schwarzen Müllsack, um den Müll einzusammeln.

Frau Bergmann: Eine gute Idee, Lars! Grüß' deine Mutter von mir!

Transcripts for the sample listening comprehension test

Read through the transcript first to see if you can find any answers you missed. Then use the solutions to confirm your answers.

Teil I

Track 3

Lesen Sie jetzt bitte die Fragen zu Teil I.

Interview mit Rachel, Fremdsprachenassistentin in einer Grundschule in Stralsund

Interviewer:	Rachel, Sie sind Fremdsprachenassistentin hier an der „Ferdinand von Schill"-Grundschule. Können Sie sich unseren Hörern bitte kurz vorstellen?
Rachel:	Also, ich heiße Rachel Firk, bin 21 Jahre alt und komme aus Birmingham.
Interviewer:	Sie sprechen ja sehr gut Deutsch.
Rachel:	Ja, ich habe in der Schule schon Deutsch gelernt. Ich hatte eine Lehrerin, die sich sehr für die Sprache begeistert hat. Die Begeisterung hat sich natürlich auf uns Schüler übertragen und da hat das Lernen immer viel Spaß gemacht.
Interviewer:	Und hatte diese Lehrerin einen Einfluss auf Ihre Entscheidung, hierher zu kommen?
Rachel:	Durchaus. Ich war schon zweimal mit einem Schüleraustausch in Deutschland. Meine Begeisterung für Land und Sprache wollte ich gern verbinden. Ich unterrichte sehr gerne Kinder; sie lernen leicht und schnell und stellen gezielte Fragen. Sie sind einfach sehr neugierig und offen.
Interviewer:	Was genau sind denn Ihre Aufgaben hier an der Schule?
Rachel:	Ich unterstütze die Fachlehrer im Unterrichtsfach Englisch. Dadurch kann die Schule jetzt pro Woche drei Stunden anstatt nur eine Stunde Englischunterricht anbieten. Außerdem biete ich eine Nachmittags-AG an. Da haben wir zum Beispiel ein englisches Theaterstück einstudiert. Die Kinder haben nicht nur ihre Rollen und Lieder einstudiert, sondern auch das Bühnenbild gebastelt und Kostüme angefertigt. Das haben wir dann auf CD aufgenommen.
Interviewer:	Und die haben Sie an einen Wettbewerb geschickt, ist das richtig?
Rachel:	Genau, das stimmt.
Interviewer:	Gibt es denn da schon Ergebnisse?
Rachel:	Ja, und zwar sehr gute! Wir haben nämlich gewonnen! Die Schule hat Lernspiele und Geld bekommen. Damit will die Schulleiterin neue Materialien für den Fremdsprachenunterricht kaufen.
Interviewer:	Na, da hat sich der Aufwand ja gelohnt. Wie lange sind Sie denn noch an der Schule?
Rachel:	Noch bis Mai, dann sind die neun Monate hier schon wieder rum.

Interviewer:	Und dann geht's zurück nach England?
Rachel:	Das habe ich mir noch nicht genau überlegt. Vielleicht bewerbe ich mich ja auch hier in Deutschland für einen Studienplatz.
Interviewer:	Na dann viel Glück auf Ihrem weiteren Weg, wo auch immer Sie diesen weiter beschreiten werden.
Rachel:	Vielen Dank!

Teil II

 Track 4

Lesen Sie jetzt bitte die Fragen zu Teil II.

Anruf beim Fundbüro

Sekretär:	Fundbüro, guten Tag. Rimmer am Apparat.
Frau Meinecke:	Schönen guten Tag. Hier ist Frau Meinecke.
Sekretär:	Wie kann ich Ihnen helfen, Frau Meinecke?
Frau Meinecke:	Ich habe heute Morgen schon einmal bei Ihnen angerufen und mit Ihrem Kollegen, Herrn Füll, gesprochen. Ich bin ganz verzweifelt. Letzte Woche habe ich auf dem Markt mein Armband verloren. Das hat schon meiner Mutter gehört und ist mir sehr wichtig. Es ist unersetzbar.
Sekretär:	Mhm, das tut mir leid.
Frau Meinecke:	Herr Füll wollte nachschauen, ob jemand es abgegeben hat und sich dann wieder bei mir melden. Aber ich habe immer noch nichts von ihm gehört.
Sekretär:	Ja, Herr Füll ist schon nach Hause gegangen. Ich kann aber gern nachschauen, ob er etwas hinterlassen hat.
Frau Meinecke:	Da wäre ich Ihnen sehr dankbar.
Sekretär:	Wie ist noch mal Ihr Name?
Frau Meinecke:	Meinecke, M-E-I-N-E-C-K-E.
Sekretär:	Ja, da ist eine Notiz hier im Buch. Welche Telefonnummer haben Sie denn hinterlassen?
Frau Meinecke:	Ich glaube, das war meine Handynummer: 0172/418192.
Sekretär:	Sagten Sie 0172/418192?
Frau Meinecke:	Ja.
Sekretär:	Aha. Da hat Herr Füll wohl zu schnell geschrieben. Er hat zwei Zahlen in der Nummer vertauscht und konnte Sie deshalb nicht erreichen. Aber ich habe eine gute Nachricht, Frau Meinecke.
Frau Meinecke:	Haben Sie das Armband?
Sekretär:	Ja, das wurde vor drei Tagen hier abgegeben. Jemand hat es gefunden und direkt hierher gebracht. Es sieht noch aus wie neu.
Frau Meinecke:	Sie glauben gar nicht, was mir da für ein Stein vom Herzen fällt! Ich bin dem ehrlichen Finder zu großem Dank verpflichtet.
Sekretär:	Sie können das Armband morgen gern hier abholen. Name und Adresse des Finders haben wir hier im Buch stehen.

Frau Meinecke:	Oh, sehr gut. Ich möchte ihm schon gern persönlich meine Dankbarkeit zeigen. Wann haben Sie denn morgen geöffnet?
Sekretär:	Von 8 bis 17 Uhr.
Frau Meinecke:	Gut, dann komm' ich gleich am Morgen vorbei. Ganz vielen Dank für Ihre Bemühungen.
Sekretär:	Keine Ursache, Frau Meinecke. Bis morgen dann.

Teil III

Track 5

Lesen Sie jetzt bitte die Fragen zu Teil III.

Zwei Großmütter unterhalten sich

Frau Anders:	Guten Tag, Frau Michael!
Frau Michael:	Ah, Frau Anders. Sie holen auch Ihre Enkelin heute ab?
Frau Anders:	Ja, meine Tochter muss heute länger arbeiten. Und Sie?
Frau Michael:	Oh, ich hole meine Enkelin Clara jeden Tag von der Schule ab. Mein Sohn und meine Schwiegertochter holen sie dann bei mir zu Hause ab, wenn sie von der Arbeit kommen.
Frau Anders:	Omas sind halt praktisch, nicht wahr?!
Frau Michael:	Haha, ja, das können Sie laut sagen. Aber es macht schon auch Spaß, sich so um die Enkel kümmern zu können.
Frau Anders:	Das ist wahr! Ich freue mich, dass ich meinen Kindern noch so helfen kann. Ich gehe mit Rebecca auch jeden Mittwoch zum Fußball.
Frau Michael:	Ich wusste nicht, dass Sie sich für Fußball interessieren, Frau Anders.
Frau Anders:	Oh, tue ich auch nicht. Aber Rebecca trainiert beim Radeberger SV und ihr macht es sehr viel Spaß.
Frau Michael:	Also, ich finde ja, Fußball ist ein Sport für Männer. Da haben Frauen nichts zu suchen!
Frau Anders:	Meinen Sie wirklich, Frau Michael? Ich bin ja nun kein großer Fußballfan. Aber Rebecca ist mit voller Begeisterung bei der Sache. Fragen Sie doch mal Ihre Enkelin! Der Radeberger SV sucht noch Mädchen für eine Mannschaft.
Frau Michael:	Nee, die Clara interessiert sich für so was bestimmt nicht.
Frau Anders:	Fragen Sie sie doch einfach mal. Wie gesagt, ich habe kein großes Interesse an Fußball. Aber es ist eine Freude, der Rebecca beim Training zuzuschauen.
Frau Michael:	Also, ich weiß nicht. Frauen und Fußball, das passt doch nicht zusammen ...
Frau Anders:	Fragen Sie doch einfach mal. Training ist jeden Mittwoch von 16 bis 17.30 Uhr. Clara kann ja auch einfach mal eine Trainingseinheit probieren und dann entscheiden, ob es ihr gefällt.
Frau Michael:	Na, ich bin ja skeptisch, aber ich frage die Clara.

Frau Anders:	Super. Die Rebecca kann ja der Clara auch mal vom Training erzählen in einer Schulpause. Oder noch besser: Kommen Sie doch mal mit der Clara bei uns vorbei. Da können wir zusammen einen Kaffee trinken und die Mädchen können zusammen spielen.
Frau Michael:	Das ist eine richtig gute Idee, Frau Anders. Wenn es beim Fußballtraining auch Kaffee gibt, werde ich vielleicht selbst noch zum Fußballfan!
Frau Anders:	Haha.

Teil IV Track 6

Lesen Sie jetzt bitte die Fragen zu Teil IV.

Es ist 13 Uhr, Sie hören die Nachrichten

1. Dresden. In der sächsischen Landeshauptstadt wollen Behinderte am Mittwoch für Barrierefreiheit demonstrieren. Ziel sei es, auf das Recht der Menschen mit Behinderung zu bestehen, von Beginn an in allen Lebenssituationen dabei sein zu können. Dies sagte die Vorsitzende der Liga der Freien Wohlfahrtsverbände in Sachsen, Beate Hennig, am Montag auf einer Pressekonferenz. Die Mitglieder der Vereine wollen mit einem Theaterstück, einem Hoffest und einer „Parade der Vielfalt" auf ihre Situation aufmerksam machen.

2. Rostock. Der Verein Windenergie-Network veranstaltet heute in der Hansestadt den ersten Windenergietag. Das Thema ist „Offshore-Windenergie im Ostseeraum". Es nehmen 280 Firmen aus Deutschland und der Schweiz teil. Eine Studie besagt, dass in den nächsten drei Jahren in der Region 1000 bis 1500 Arbeitsplätze in der Windkraftbranche entstehen könnten. Somit wäre die Branche Jobmotor Nummer eins im Großraum Rostock.

3. Wien. Mozarts Musik macht nicht klug: Wissenschaftler der Universität Wien haben jetzt endgültig einen der großen Mythen der Psychologie – den so genannten „Mozart-Effekt" – widerlegt. Der „Mozart-Effekt" geht davon aus, dass die Musik des Salzburger Komponisten intelligenzsteigernd sei. Der Forschungsleiter Jakob Pietschnig sagte, er empfehle jedem, Mozarts Musik zu hören. Aber die Erwartung, dadurch die eigene Intelligenz zu steigern, sei nicht erfüllbar.

4. Das Wetter in Deutschland. Heute im Tagesverlauf im Süden und Südosten regnerisch, ansonsten wolkig oder heiter. Bei 10 bis 15 Grad bleibt es für die Jahreszeit zu kühl. Eine Tiefdruckzone über Mitteleuropa sorgt zunächst für wechselhaftes Wetter. Jedoch setzt von Nordwesten her allmählich Hochdruckeinfluss ein. Im weiteren Tagesverlauf in den Höhenlagen und an der Küste frischer und in Böen starker Wind aus nördlichen Richtungen. Kommende Nacht im Norden und in der Mitte örtlich leichter Frost.

Solutions to the sample listening comprehension test

First part: Interview (Teil I)

1. (i) She is a foreign language assistant in a primary school in Germany, she is 21 years old, she comes from Birmingham.

   (ii) Any **two** of:
   She learned German in school; she had a teacher who passed on her enthusiasm for the language to her pupils; she enjoyed learning German.

2. (i) Her German teacher; she had participated twice in a student exchange in Germany; she wanted to combine her enthusiasm for the land and the language.

   (ii) Any **three** of:
   They learn easily; they learn quickly; they ask direct questions; they are curious; they are open/frank.

3. (i) Any **two** of:
   She supports the teacher in the teaching of English; she offers/takes part in afternoon activities; she has rehearsed an English play with the pupils.

   (ii) They rehearsed their roles/parts and their songs, they made the stage set, and they made the costumes.

4. (i) Any **two** of:
   They sent it to a competition; they won; they got money; they got educational games.

   (ii) the school principal

5. She might apply for a university/college place in Germany or she might return to England.

Second part: Telephone message (Teil II)

1. Anruf von: Frau Meinecke
   Problem: hat ihr Armband verloren, letzte Woche auf dem Markt, hat ihrer Mutter gehört, hat schon angerufen, keinen Rückruf bekommen.
   Die Anruferin kommt morgen vorbei.
   Telefonnumer: 0171/418192

2. Any **three** of:
   Was mir da für ein Stein vom Herzen fällt (*what a load off my mind*); ich bin dem ehrlichen Finder zu großem Dank verpflichtet (*I'm so grateful/under an obligation to the honest finder*); ich möchte ihm schon gern persönlich meine Dankbarkeit zeigen (*I would like to personally thank him/show him my gratitude*); ganz vielen Dank für Ihre Bemühungen (*thank you very much for your efforts*).

Third part: Dialogue (Teil III)

1. (i) (d) two grandmothers

   (ii) Any **two** of:

   Sie holen auch Ihre Enkelin ab heute (*you are also collecting your granddaughter today*); ich hole meine Enkelin jeden Tag von der Schule ab (*I collect my granddaughter every day from school*); mein Sohn und meine Schwiegertochter holen sie dann bei mir zu Hause ab (*my son and my daughter-in-law collect her from my home*); Omas sind praktisch (*grannies are practical*); es macht schon Spaß, sich um die Enkel kümmern zu können (*it's fun looking after the grandchildren*); fragen Sie doch mal Ihre Enkelin (*ask your granddaughter*); Ihre Enkelin kann ja auch einfach mal eine Trainingseinheit probieren (*your granddaughter can simply try a training unit*).

2. (i) (c) doubtful

   (ii) Any **two** of:

   Also, ich finde ja, Fußball ist ein Sport für Männer (*I think football is a sport for men*); die Clara interessiert sich für so was bestimmt nicht (*Clara is certainly not interested in anything like that*); also, ich weiß nicht … (*Oh I don't know …*); Frauen und Fußball, das passt doch nicht zusammen (*women and football, they don't go together*); na, ich bin ja skeptisch (*well, I'm sceptical*).

3. (i) Any **two** of:

   Rebecca ist voller Begeisterung bei der Sache (*Rebecca is full of enthusiasm for it*); fragen Sie doch Ihre Enkelin. Der Radeberger SV sucht noch Mädchen für eine Mannschaft (*Ask your granddaughter. The Radeberg sports club is looking for girls for a team*); … es ist eine Freude, der Rebecca beim Training zuzuschauen (*it is a joy to watch Rebecca training*); Ihre Enkelin kann ja auch einfach mal eine Trainingseinheit probieren und dann entscheiden, ob es ihr gefällt (*your granddaughter can simply try a training unit and then decide if she likes it*); die Rebecca kann ja der Clara auch mal vom Training erzählen in einer Schulpause (*Rebecca can tell Clara about the training in the school break*); oder noch besser: kommen Sie doch mal mit der Clara bei uns vorbei. Da können wir zusammen einen Kaffee trinken und die Mädchen können zusammen spielen (*Or even better: come round with Clara. We can have coffee together and the children can play together*).

   (ii) She decides to go round to Frau Anders for coffee.

Fourth part: News bulletin (Teil IV)

1. (i) For freedom of access, for the right to be able to be part of all life situations from the beginning.

   (ii) Any **two** of:

   A play, a (village) festival, a 'parade of diversity'.

2. (i) Offshore wind energy in the Baltic Sea.
    (ii) Germany and Switzerland.

3. 1000–1500 jobs could be created in the wind energy branch/area.

4. (i) That Mozart's music makes you clever/intelligent/increases your intelligence.
    (ii) They have contradicted the myth, they have stated that listening to Mozart's music does not increase intelligence.

5. (i) Raining in the south and south-east, elsewhere cloudy or bright, 10 to 15 degrees, too cool for the time of year, low pressure zone over Central Europe, changeable weather from the north-west – high pressure influence.
    (ii) High altitude and coastal areas.

Acknowledgments

For permission to reproduce copyright material the publishers gratefully acknowledge the following:

Extract from *Die Entdeckung der Currywurst* by Uwe Timm © 1993, 1995, 2000 by Verlag Kiepenheuer & Witsch GmbH & Co. KG, Köln. Extract from *Die Einbahnstraße* by Klaus Kordon reprinted by kind permission of Verlagsgruppe BELTZ. Extract from *Yildiz heißt Stern* by Isolde Heyne reprinted by kind permission of Arena Verlag.

The publishers have made every effort to trace copyright holders, but if they have inadvertently overlooked any they will be pleased to make the necessary arrangements at the first opportunity.

The author would like to thank Gerlinde Krug, Madeleine O'Neill and Ina Doyle for their help and advice.